10 18

12, avenue d'Italie — Paris XIIIe

CES TERRES DÉMENTES

PAR

ALAN WARNER

Traduit de l'anglais
par Catherine RICHARD

10 18

« *Domaine étranger* »
dirigé par Jean-Claude Zylberstein

ÉDITIONS JACQUELINE CHAMBON

Du même auteur
aux Éditions 10/18

MORVERN CALLAR, n° 3039

Titre original :
These Demented Lands

© Alan Warner, 1997.
© Éditions Jacqueline Chambon, 1998,
pour la traduction française.
ISBN 2-264-02840-8

A Mark Richard,
Michael Ondaatje... merci.
Juan Carlos Onetti (1909-1994)

« Des multitudes de gens ! Qui gravissent les montagnes ! »

Au nom du Père, Black Grape

« Nous nous enfonçâmes dans le bourbier, et de là, entreprîmes notre laborieuse, sinueuse progression en direction de la rive est. »

Enlevé ! R. L. Stevenson

TEXTE 1
Première Partic

Premier Soir

J'approche de l'île : au moment où le Passeur va pour me demander à voir le ticket le canot commence de sombrer. « Si c'est un aller-retour que tout le monde a pris, y a intérêt de finir à la nage », il braille le Passeur avant de sauter par-dessus bord dans l'eau noire.

Il fait presque nuit. Y a plus un bruit maintenant que le Passeur a éteint le moteur hors-bord : juste l'abat-jour métallique déglingué de l'unique ampoule au-dessus de la Coopérative Maritime sur la Cale au Ferry. L'abat-jour brinquebale à tous les courants d'air avant même qu'ils passent.

Une grosse barre de nuages s'est massée tout le tour de l'île et on dirait qu'elle retient la luminosité du jour dans ses creux et ses renflements. On distingue les collines : les sorbiers nus, sapins noirs, mélèzes au-dessous du nuage puis les vraies cimes des montagnes au-dessus, derrière les cinq silhouettes des passagers assis en face de moi qui se mettent à pencher douce-ment d'un côté. L'eau s'engouffre par-dessus le plat-bord et commence à remplir bon train le fond du canot.

La gamine blonde au sparadrap sur l'œil qui me regarde sans arrêt depuis qu'on a quitté le Continent (sauf quand elle s'est tournée d'un coup pour dégueuler ensuite cracher par-dessus bord), les réparateurs d'an-tennes télé bien fracassés bien beuglards, le gros type

13

avec son cigare et son énorme crucifix qui a l'air en ferraille...

Tout ça plonge droit dans le silence.

Le grand gros type se lève d'un bond. « C'est le remous du grand ferry qui nous coule. » Il soulève le crucifix et la chaîne au-dessus de son crâne dégarni puis les rejette de côté ; le bout rouge de son cigare s'illumine au moment où il se dresse près des tolets de rames, qu'il fait tanguer le canot et enjambe le plat-bord. Je tourne la tête pour éviter ses éclaboussures et je vois l'énorme navire noir en train de disparaître vers l'embouchure obscure du Chenal, les mots inscrits sur la poupe encore lisibles :

PSAUME 23
Greenock

Quand je baisse les yeux je vois le reflet blanc spectral du réservoir à essence — un jerricane plastique sans plus — qui me reviendra en mémoire huit mois plus tard à la vue d'une poche de cathéter (la goutte d'essence dans le fond comme de l'urine visqueuse et lente).

Je capte aussi sec que le réservoir va me permettre de flotter alors du coup, pendant que les réparateurs télé restent plantés là tels des babouins débiles, moi j'avance d'un pas et j'arrache un super couinement à la petite blonde quand je lui empoigne rubans et couettes à deux mains puis que je la hisse à hauteur de poitrine pour la caler au creux de mon bras gauche : elle me flanque son genou dans le sein gauche au moment où je me tourne de côté en soufflant un coup et que j'attrape la poignée du réservoir à essence de la main droite ; deux enjambées et nous voilà debout sur l'arcasse, on saute, puis,
l'espace d'une fraction de seconde,
on s'élève
au-dessus de la nuit des flots sans lune,

et les cheveux blonds de la petite dans mes bras
sont ce qu'il y a de plus clair dans de telles
ténèbres.

Quand on plonge dans une eau glacée toute noire il
y a d'abord un moment bizarre où on sent rien voit rien,
puis le mouillé s'infiltre par les endroits les plus per-
méables : le haut du jean, le devant du truc qu'on porte
en haut, puis lentement, lentement le long du dos en-
dessous (... en-dessous... il la faut cette espèce de
tiret ?), en dessous de la bulle d'air prise sous les
épaules de blouson... et la c'est sur on sent bel et bien
le poids de cette nouvelle charge de *terreur* que les
vêtements sont en train de devenir.
Au moment où mes pompes flinguées tapent l'eau
j'ai le sourire aux lèvres et la surface me saute au
visage. J'ai mal calculé la résistance de l'espèce de long
tube en caoutchouc orange qui relie le réservoir à
essence au moteur hors-bord si bien qu'il nous renroule
carrément comme un yoyo en me tordant le bras dans
le dos. Je frissonne et j'ouvre les yeux : avec le plongeon les cheveux de la petite fille blonde ont viré au
noir corbeau (noir-corbeau ?). J'essaie d'arracher le jerricane d'un coup sec. Le retour de saccade me tire vers
le canot en train de sombrer puis le bouchon saute en
libérant le réservoir. Je lâche la poignée pour tâcher de
me retourner : je lâche à peine une mini-seconde mais
toutes les deux, dans un mouvement décidé, la petite
moitié aveugle et moi on coule à pic sous la nuit des
flots.

J'ouvre les yeux au milieu d'un crachouillis ronflant.
Un paysage de couleurs ruisselle en glissando sur les
fonds lunaires loin au-dessous ; mes jambes noires
ondulent en battements lents, toutes fines à contre-jour.
Je serre la petite gosse plus fort contre moi. Une
constellation de bulles rosées jaillit de sous mes pieds
puis elles dérivent, s'enflent, et sur le flanc bombé de

chacune se reflète le diamant d'une nova qui s'allume à ses pôles nord et sud. Au plus lointain de cet univers, en nappe immense de minuscules bulles crachées par les geysers sous-marins, des levers de planètes et d'étoiles bleues tremblotent en dessous de nous illuminés par des lueurs venues de plus profond : un récif de corail devenu fou au milieu des couleurs de ces flots mortels.

Juste à ce moment-là le canot du Passeur coule devant nous — un peu plus loin — le nez qui pique à mort vers le fond puis on voit les lettres dorées peintes à la main sur l'arrière scintiller une dernière fois dans les lueurs délirantes et ensuite

IN GOD WE TRUST

la coque noire plonge au cœur d'un banc de bulles turquoise, le tuyau à essence orange qui traîne à la suite : dressé tout droit comme un fil à plomb.

Ça nous aspire vers le bas en direction des flamboiements sous-marins, mais je tâche quand même de hohisser la petite fille vers le haut : de l'entraîner en direction de la surface. Ça me désole qu'on meure... J'ai entendu dire à droite à gauche que la noyade ça pouvait aller pourtant il y a un livre qui m'a foutu la trouille : celui de Golding, *Chris Martin* *, le livre de la noyade. Pile au moment où j'entame la Grande Sérénade je sens un petit filet froid sur mon poignet à l'air libre, je roule sur moi-même et je me retrouve à la surface. Le ciel bleu ecchymose est devenu noir maintenant, et pourtant je suis quasi sûre qu'il restait un brin de jour au moment où on a coulé. Maintenant c'est la nuit alors je plaque la gamine contre ma poitrine. Le réservoir à essence tout dandinant flotte juste là. Je m'agrippe après et à ce moment-là les flots lumineux et colorés autour de nous

---

* Voir les notes en fin d'ouvrage.

pâlissent et s'éteignent comme des projecteurs de piscine.

« C'était quoi ? » la petite pleurniche.

Je fais comme ça : « J'en sais rien ma chérie. »

La compresse scotchée s'est barrée dans l'eau salée et la belle petite face de lune abaisse vers moi un œil mort, pareil à la gemme verte d'un molard gelé sur un trottoir hivernal.

Je tiens la poignée du jerricane cramponnée contre mon flanc et en battant pédalant des jambes, on tire un bord en zigzag vers le rivage en direction de l'unique ampoule toute seule au-dessus de la porte de la Coopérative Maritime sur la Cale au Ferry.

Devant nous, un minuscule point de lumière mandarine fleurit puis se ternit. Dans ce froid à crever je grimace un sourire crispé. Le grand gros type est en train d'ahaner férocement vers la côte, son cigare par miracle encore allumé à la bouche.

« Hé-ho là-bas », je lance.

Il lâche du coin de la bouche : « Saint Moluag a défié saint Columba à la course, du Continent jusqu'à cette île, au premier qui toucherait terre. Les voilà donc qui traversent en godillant à fond dans leurs coracles avec saint Columba qui tient une bonne longueur d'avance à l'approche de cette côte. Du coup saint Moluag prend sa hache, se tranche le petit doigt et le jette sur l'île en criant : Et voilà, c'est *moi* qui ai touché le rivage en premier. »

Il lâche un petit hennissement puis il tète son cigare. D'un coup de poing je pousse le réservoir à essence jusque vers lui : « Venez pédaler avec et on vous prend à la course.

— Gagne-le, gagne-le ! » la petite gamine fait des bonds et m'asperge la poitrine. Le grand gros type ôte le mégot de cigare de sa bouche puis le fourre dans le bec du jerricane. Une mèche de feu longue de trois mètres jaillit par le trou et propulse le gros type à toute bombe vers la côte. Il pousse un grand cri, la giclée de lumière — l'espace d'une seconde — éclaire d'autres têtes, agrippées à des coussins de fauteuil ou à d'autres trucs, et qui pédalent en direction de la côte vers la Cale au Ferry.

Une flaque de mer enflammée s'éloigne en voguant vers l'ouest, l'embouchure du Chenal, avant de se ratatiner à l'état de contour au fond de ma mémoire. A ce moment-là je vois : un rappel des flammes tout là-bas au-dessus du nuage... la lueur antique et rude d'un feu de camp, haut perchée sur les flancs de la montagne.

Trempée, dégoulinante, la petite toujours dans les bras, j'ouvre la porte de la Coopérative Maritime d'un coup de pompe et un des réparateurs d'antennes télé s'amène en me tendant une bouteille de Bunnahabhain. Je fais non de la tête et je dépose la petite par terre. « Des lumières. J'ai vu de ces drôles de lumières là-bas dessous, profond sous l'eau », je dis.

« Les Lits de Phosphore », il murmure le Mataf derrière avec comme un hochement de tête vers la gosse accrochée à mon genou. « Y a eu des bombes au phosphore immergées par centaines de tonnes dans le Chenal après la guerre : ces quelques dernières années elles ont commencé de s'enflammer. Va-t'en savoir ce qu'y a d'autre là-bas dessous. Et ces couleurs : les plongeurs veulent pas s'en approcher. Des fois y a des barils en feu qui remontent dans les casiers à homards... on voit un plumeau de fumée blanche partir tout droit au-dessus d'une barque pontée. » Le Mataf tourne la tête, continue à voix encore plus basse. « Des fois les barils de phosphore en feu s'échouent sur la plage, et *des fois* c'est des gosses qui les trouvent, figurez-vous. »

Je hoche la tête. « Tout le monde s'est sorti du bain sans problème ?

— Pas trace de l'Avocat du Diable ; le Passeur est à perpète à bord de l'annexe. On a téléphoné à Namsterdam pour lui demander de faire un petit survol rapide avec son hélico. » Le Mataf accepte la bouteille de whisky que lui tend le réparateur télé rouquin.

« Toujours mieux que l'autre Argonaute et son équipe », il dit le rouquin.

Le plus grand des réparateurs télé fronce les paupières du coup le rouquin explique : « L'Argonaute c'est un genre de barjot plongeur-récupérateur-d'épaves-chercheur-du-trésor-de-l'Armada qui habite de l'autre côté de l'île. »

Le Mataf ajoute : « C'est un sauveteur de cadavres en plus de ça : quand quelqu'un se noie dans le coin c'est toujours le gars Argonaute qui trouve moyen de dénicher où le tas d'os va s'échouer ou à quel endroit les courants vont l'avoir entraîné par le fond. »

Le rouquin fait comme ça : « Il se balade entre les îles dans un kayak avec tout un tas de versets de la Bible écrits dessus.

— Il se déplace d'une île à l'autre. Y a des navires qui l'ont repéré à des kilomètres d'ici, en pleine mer dans son kayak. » Le Mataf incline tellement la bouteille en arrière que le cul manque toucher le plafond.

Le grand gars demande : « Et c'est qui le gros type, une espèce d'avocat, un allumé de la religion ou quoi ? »

Le Mataf fait comme ça : « Penses-tu, c'est un pape d'Église. C'est l'Avocat du Diable : il décide qui c'est qui doit devenir un saint, qui c'est qui doit pas, tout le tremblement. Passe son temps à vadrouiller dans la montagne avec sa tente, à faire des recherches à propos des saints, la canonisation ça s'appelle, à tâcher de déterrer des trucs merdiques du passé des déjà saints... c'est un genre de journaliste-enquêteur au service de Dieu.

— Eh ben s'il est au fond de l'océan en train de se faire bouffer les yeux par les crabes, l'Église va tomber dare-dare sur le poil du ferry...

— Tss ! je coupe sèchement la parole au Grand en faisant un signe de tête en direction de la petite.

— Le gros monsieur il s'est noyé ou il a cramé ? la gamine demande.

— Cet Argonaute, il fait le Mataf avec un petit sourire satisfait, il est déchiqueté complet à force de prendre de la came. Il part en plongée sous acide, il tâche de recoller un nom à tous les cadavres qu'il trouve et il célèbre des mini-services religieux à la fusée éclairante. »

Je m'agenouille et je ramasse la petite toute trempée. « Penses-tu minette, moi je suis sûre qu'il est sain et sauf et qu'on va pas tarder à le revoir.

— Y a pas guère de saints qu'il puisse trouver sur ce foutu bout d'île, il marmonne le Mataf.

— Il faut que j'enlève les fringues de la petite.

— L'équipement pour gosses on a pas. Vous avez qu'à l'envelopper dans une serviette de toilette et je vais mettre ses habits sur le radiateur. Et vous, grande, servez-vous dans les fringues : on a la veste de quart la plus chère, alors prenez-en une, dedans y a un mini-gilet de sauvetage gonflable ! Marque italienne. Je mettrai ça comme d'habitude sur la facture de la compagnie de ferry et puis voilà...

— Comment ça, comme d'habitude ?

— Troisième fois de l'hiver que le canot est coulé, alors merde ! C'est El Capitan sur le *Psaume 23* qui se croit encore en pleine guerre du cabillaud : ça fait des mois qu'il a pas quitté le pont, il se fait monter une bouteille de malt tous les matins. »

Le plus calme des réparateurs télé l'ouvre pour dire comme ça : « Nous on a déjà été coulés une fois, alors ce coup-là on a pris une bonne assurance bagages.

— On est juste venus faire la foire, il sort le Rouquin. On grimpe direct jusqu'au Relais d'Antenne, on vérifie le tableau et c'est toujours un plomb qui a sauté. On téléphone au site, on explique aux autres tâcherons qu'y a un gros boulot à faire et que ça prendra dans les trois quatre jours. Ensuite on descend à l'hôtel Extrême Bord et on se murge la tête qu'on en peut plus en mettant la bibine sur la note de frais puis le dernier jour on remonte au relais et on change les plombs...

— Ça marche à tous les coups, il dit le Grand.

— Papa et Maman ils envoient le Kongo Express me chercher le soir », elle lance la mini-gosse en souriant. Je l'emmène derrière la rangée d'impers hors de la vue des réparateurs télé bourrés même toute jeune qu'elle est.

« Ouais ma poule », je fais, et ensuite : « Lève tes bras bien haut jusqu'au ciel. » Je tire sur son maillot : le lycra rend de l'eau au passage des minuscules poignets puis les manches droite gauche sautent en l'air et retombent toutes pendouillantes. J'essore le maillot. Elle se penche en avant : raie parfaite de ses petites fesses de gosse, lisses que c'en est dingue. Je lui estirebouchonne rubans et couettes dans la serviette de toilette.

Une fois que j'ai fait mon choix, j'amène la petite fille jusqu'au fond de la Coopérative où il y a un miroir. De là j'entends même plus brailler les réparateurs télé. Je quitte mon vieux blouson en cuir tout miteux : rapiécé rapetassé de partout, et je tire super doucement le Walkman-laser de la poche. Je soulève le couvercle : la petite fille rigole quand il en sort de l'eau. Il est complètement chlasse, mais je prends quand même le CD : un de Verve, All in the Mind (HUTCD 12), même que c'est le troisième morceau, Man Called Sun, que j'écoute tout le temps si on tient à savoir. Je le glisse dans la poche en prévision de plus tard puis je laisse tomber le Walkman par terre. La petite demande si elle peut le prendre, j'explique qu'il est kaput, tout ça. Mes autres CD de Verve étaient dans le sac plastique (échoués au fond du Chenal, face brillante dessus qui reflète les couleurs flambantes du phosphore en train de s'élever vers la surface).

Je me désape, examine, lisse mon ventre du plat de la main, je jette un coup d'œil à la morpionne, mais elle est captivée par les boutons du Walkman. Je tourne la tête pour inspecter le peu de bronzage qui reste, les jambes pas rasées avec des poils mouillés plaqués en boucles à l'arrière des cuisses. Je commence à regarder un peu ce que je me suis choisi pour bien savourer le... le sentiment... ce que dans une autre langue j'appellerais *La me da igual,* mais bon, ça c'est les autres langues de... Là-Bas où il m'est arrivé ces trucs : marcher au clair de lune avec des lunettes de soleil noires au milieu d'incendies de forêts et d'étoiles filantes. Alors du coup dans le langage d'ici j'ai pris la décision débile de raconter mon histoire en... *La me da igual...* comment est-ce que je peux dire ça dans la langue de tous les jours ? Le Sentiment Indifférent : voilà ! Le Sentiment Indifférent. C'est ce que j'ai ressenti quand le Mataf m'a laissée choisir dans les fringues de la Coopérative. Je me suis contentée de fourrer les trucs dans la musette qu'il m'a donnée. Le Mataf a fait la liste des articles et il a gardé un double de la note pour lui.

Moi j'ai dit : « Je ferais n'importe quoi pour me trouver des vraies fringues de fille », mais j'entassais les vêtements dans la musette comme si personne en avait rien à faire et c'est ça le Sentiment Indifférent : des grosses chemises de bûcheron pour homme, qui puent encore la teinture bon marché, des grands caleçons shorts flottant du cul que même la taille S m'est trop grande, assez de chaussettes de toutes les couleurs pour bourrer les bonnes pompes petite taille que j'ai prises, et tout ça sans me soucier à aucun moment d'harmoniser les couleurs de ce que je choisissais, à cause du Sentiment Indifférent... ce que j'appelle à part moi *La me da igual.*

Le Sentiment Indifférent se voit surtout dans les endroits où on mange et les magasins de fringues. Il est enraciné chez des mecs entre deux âges qui ont arrêté de faire semblant dans la vie. Ils entrent, un poil trop enrobés comme mecs, cheveux gris par-ci par-là, du fric en poche mais aucune concession à la mode — autrement dit aux femmes. Le gars a besoin d'un nouveau blouson alors il s'en trouve un qui lui va, le jette sur le comptoir à côté de la caisse. La fille lui explique que le blouson existe en trois autres couleurs. Le type hausse les épaules, sûrement déjà en train de compter les billets qu'il sort sans même regarder la fille de la caisse qui est jeune, super mignonne, et quand on regarde sa tenue, fringuée avec soin : parce que ça, ça a encore de l'importance. Il y a des mensonges auxquels elle arrive encore à croire, alors que notre ami, lui... son haussement d'épaules dit tout. C'est pas seulement que je me sens libre quand moi je vis le Sentiment Indifférent, c'est plutôt que je le trouve tellement attirant chez les autres. Quand j'étais loin Là-Bas, à l'époque où je mangeais seulement au restau, je voyais des hommes, ces hommes qui avaient vécu, je voyais l'indifférence qu'ils tâchaient vraiment de masquer, la Vie terrorisée commençait de rancir à leur contact, et leur petit orgueil pimpant de perdre sa fraîcheur : ils contemplaient un menu qui leur aurait procuré un sentiment agréable cinq ans plus tôt. Seulement ils avaient fini par comprendre à quel point c'était infantile, le peu d'importance que ça aurait qu'ils se mettent A ou B dans la bouche pour ensuite mastiquer jusqu'à en faire une boulette bien dense. Jamais ils prenaient de dessert parce que leur fragile orgueil leur permettait pas de prononcer ces noms idiots.

Pendant que j'en suis là, autant parler de ce que j'appelle à part moi le Sentiment de Correspondances. Il y en a d'autres que je pourrais expliquer : le Sentiment Caramel Mou, le Sentiment Cheveux Fins, le Sentiment Gouvernail, le Sentiment Casse-croûte Fromage à l'Arrière de la Voiture, le Sentiment Après-midi d'Octobre, le Quand-On-Pluche-sa-Mandarine... tous ceux qui font que moi je suis moi. Maintenant le Sentiment de Correspondances : il m'est venu au moment où on était là-bas en train de nager dans le Chenal et que l'Avocat du Diable a mis le feu au réservoir à essence... non, ça a commencé même avant ça, quand mon regard a chopé le bout orange illuminé de son cigare, *ensuite* il y a eu l'essence enflammée et ensuite la lueur du feu de camp sur les hauteurs des montagnes : « flamme, flamme, flamme ». Des fois ça se voit dans la rue : trois inconnus qui se déplacent chacun dans une direction se retrouvent tout proches, et tous ils portent un blouson jaune si bien que ça donne un alignement de jaune, puis le regard continue au-delà et voilà qu'un énorme engin jaune passe par là alors du coup, au moment où la lumière se pose dessus, tout devient jaune scintillant sur le trottoir et se reflète dans les vitrines des magasins...

Quand je me pointe dans l'avant-boutique et que j'annonce : « Je cherche l'hôtel Drome, celui à côté du cimetière », le Mataf se met à tousser et les réparateurs télé me regardent les yeux ronds. Je prends les vêtements secs sur le radiateur pour rhabiller la petite fille et quand on revient le Mataf s'éclaircit de nouveau la gorge et il fait comme ça : « Là-bas c'est le territoire à Fraternité.

— Fraternité. Fraternité ? je répète le nom.

— C'est un sacré drôle de coin par là-bas, personne aurait envie d'aller s'y incruster. »

Il se passe un long silence.

Le Grand fait comme ça : « C'est qui Fraternité ?

— Il est arrivé ici y a un bout de temps aux commandes d'un vieil hydravion PBY. Dedans, y avait tout plein de gonzesses, des hippies françaises. Il s'est posé en face de l'hôtel Extrême Bord, les nénettes s'installaient sur les ailes pour se bronzer, et pour aller se chercher une limonade elles plongeaient et nageaient jusqu'au rivage...

— Lui on l'appelait le Pète-Consigne à l'époque, rapport aux histoires pas possibles qu'il nous servait sur l'Afrique, là-bas. Son père était en bonne santé et il dirigeait le Drome en honnête... »

Le Mataf se marre et fait comme ça : « Le rêve perdu de Fraternité. Des rêves tout feu tout flammes, des trucs de jeunes : monter un casino sur l'île, au Drome, avec

24

des filles des Folies-Bergère ; et on amène le micheton sur place par hélico. » Le Mataf lâche un reniflement, hoche la tête comme s'il était accablé : « En finale, vu le résultat il pourrait pas mieux ressembler au maquereau qu'il veut être. »

Le Grand et moi on regarde le Mataf comme pour lui en soutirer plus. Je fais comme ça : « C'est-à-dire ?

— Vous verrez ça... bien assez tôt, bien assez tôt. »

On passe à l'extérieur sous l'abat-jour brinquebalant. Le Mataf lance : « Vous allez pas avoir besoin de votre musette sauf si vous avez l'intention de nous quitter, mais des fois que l'autre Avocat du Diable tarde encore à se pointer, va falloir qu'on embauche tous ceux qu'on peut aligner le long de la côte.

— Y a loin jusqu'au Drome ? je fais comme ça.

— Oubliez ça, nénette. Pas loin de vingt-cinq bornes à vol d'oiseau. En coupant par l'Intérieur. Quarante par la route côtière. Maintenant un samedi soir vous pourriez attraper le Discobus, il fait le tour pour ramasser tous les jeunes qui vont danser à l'Extrême Bord. Ce bus c'est un chié truc à voir, au retour, mais personne a le cran de monter dedans : on y a même retrouvé Haï-Phir-Éon, qui traverse à la nage depuis le Continent pour venir mener ses expéditions de chasse et pillage, enfermé dans le coffre au garage un lundi matin : apparemment ça faisait des semaines qu'il se mettait là-dedans pour se déplacer dans l'île tellement qu'il avait les jetons de monter s'asseoir. »

Je commence à m'éloigner vers le bout de la Cale, la main de la petite fille dans la mienne. « Alors maintenant, comment tu fais pour rentrer à la maison ? je sors.

— Faut appuyer sur la petite sonnette à l'ectrique pour appeler le Kongo Express.

— Non, sérieusement minette. »

A ce moment-là on arrive au bout de la cale d'embarquement :

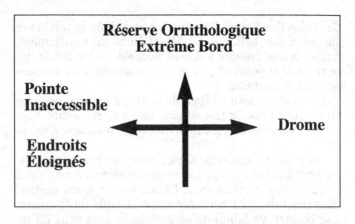

C'est seulement des mois après que je lirai Ses feuillets à Lui, tapés sur la petite machine à écrire Fisher-Price, des feuillets datés du Mercredi dix-sept, Jeudi vingt-deux et Vendredi vingt-trois. *Ses...* feuillets *à lui*, celui qu'on appelle l'Aéro-Crash Expert, ou le Scénariste A la Manque, le Type du Ministère des Transports, à qui on donne même un nom : Corner ou Worner, alors que pourtant un soir dans les Pièces Chauffées, comme j'insistais il m'a sorti comme ça qu'il s'appelait Houlihan. J'ai lu dans ses feuillets où jamais le mois figure, juste les dates toutes mélangées, inutiles, qu'il avait débarqué du grand ferry des Traversées-Fin-de-Semaine-Uniquement comme Passager Sans Véhicule, et que bien sûr son regard avait capté le coin inférieur droit écorné du panneau indicateur, à l'endroit qu'un camion de produits alimentaires avait dû emboutir en quittant la Cale.

Note de l'Éditeur :
feuille déchirée collée au manuscrit :

MERCREDI 17
si c'est la conception que lui se fait du diable en tout cas ce n'est pas la mienne. Mon regard s'est posé sur le panneau

indicateur cabossé au bout de la jetée. Il avait pris un coup dans le coin inférieur droit alors je me suis haussé sur la pointe des pieds pour lorgner ça. C'était un choc frontal administré à une vitesse d'environ quinze kilomètres par heure ; il restait des résidus de peinture verte métallisée incrustés dans l'enduit réfléchissant le long de l'éraflure là où le choc n'a pas écaillé l'enduit à facettes. Après examen de la pliure au dos du panneau je suis en mesure de déterminer que le choc a provoqué moins de dégâts que le poids du véhicule par là-dessus... un choc à plus grande vitesse aurait laissé moins de traces d'effort dans les zones flexibles, pourtant du fait de la proximité du bord les forces engendrées par le choc frontal ont réussi à rogner le panneau. Si le choc s'était produit plus au centre du panneau — qui n'a pas d'autre support que le sien propre et repose sur deux pieds creux en aluminium scellés dans du béton rongé par la mer — il se serait peut-être abattu d'un bloc. En raison du brusque décochement à droite que marque la balafre résultant du choc je suis en mesure de déterminer que le véhicule s'est déporté vers la droite. En calculant la profondeur de l'abrasion et en supposant un contact avec l'aluminium sans l'aide de tests en labo (grâce à quoi j'ai calculé la vitesse du choc frontal) j'estime que ce choc s'est produit à une vitesse de 15,141 km/h pour une durée de contact de 3,768 secondes bien qu'il soit difficile de prendre ces résultats au sérieux sans passer plus de temps sur place mais il se trouve que je dois attraper le discobus. Mes calculs figurent aux dates des 22 et 23. J'ai aperçu un fût de 200 litres présentant un creux intéressant sur le côté mais je ne me suis pas senti l'énergie.

Elle me plaît cette phrase : *à l'endroit qu'un camion de produits alimentaires avait dû emboutir en quittant la Cale.*

Au-delà du panneau, la petite fille m'entraîne vers la gauche et on passe devant une pancarte routière avec un CHÂTEAU HISTORIQUE dessiné dessus, on prend un petit chemin, et on débouche sur une gare de chemin de fer mais ce qui me fait bizarre comme truc, c'est que c'est une gare miniature qui émerge de l'obscurité au moment où la petite fille appuie sur la sonnette. Le toit m'arrive à peine au niveau du menton et je distingue la voie avec ses petits rails tout bien rapprochés, puis du vent noir qui agite les cimes des épicéas dressés au-dessus sort un train miniature avec KONGO EXPRESS inscrit sur une plaque en cuivre fixée à l'avant.

« Holà-holà ! On veut se faire déposer quelque part ? » Le conducteur me regarde. « Chutes du Niagara, mont Kilimandjaro, lac salé de Makarikari ? il braille en rigolant.

— Le canot a coulé, je fais comme ça.

— Gare aux serpents et aux tigres », il glapit, puis il hausse les épaules comme pour dire désolé : « Ça rappelle le bon vieux temps à Madame, tout ça, l'époque où elle était belle.

— Je peux dormir dans la tour de la princesse ? » La gamine, qui s'est installée derrière le conducteur dans le petit wagon, lui bouche les yeux à deux mains.

« Vous connaissez le type qui s'appelle Fraternité ? »

Le conducteur lance : « John Fraternité, le Pète-Consigne. Il est parti en mer à bord d'un vieux dragueur de mines bouffé de rouille... c'est comme ça qu'il a commencé : il était innocent à l'époque. De tout l'équipage seuls Fraternité et le Capitaine n'ont pas eu le mal de mer. Ils buvaient deux bouteilles de rhum par jour. En arrivant en vue de ces plages blanches, Fraternité a quitté la passerelle de commandement. Des moustiques comme jamais il en avait entendu lui miaulaient aux oreilles puis le dragueur de mines est monté sur le sable et la coque s'est ouverte au moment où toute une armée de débarquement déversait sur la plage son effectif de soldats qui se précipitaient vers les palmiers. Les gars étaient restés planqués là-dedans pendant une semaine dans leur propre vomi. A ce moment-là Fraternité s'est rendu compte que les sifflements qui rasaient ses oreilles rouges, c'étaient des balles, et qu'on le prenait pour un membre de l'armée de débarquement. "Je croyais que t'étais au courant", le Capitaine lui dit en se blottissant à l'abri. "Bienvenue en Afrique."

— Hein je-peux-dis-allez ? elle fait comme ça la petite fille.

— Faudra demander à Maman », il fait le conducteur.

Je lance : « Pour traverser l'Intérieur en direction du Drome. Quelle direction ?

— Faut longer les cahutes en terre, tâchez de pas réveiller les macaques.

— Au-re-voir. » La petite fille retire une main pour l'agiter puis le train miniature prend le virage et son feu arrière rouge s'éloigne en dansant cahotant le long de la petite voie ferrée avec la lueur qui colore les rails en rouge jusqu'au moment où il plonge à l'intérieur d'un tunnel qui a l'air en papier mâché. Je continue à grandes enjambées le long de la voie, je franchis le mini-tunnel à la noix puis je passe un autre virage. Au moment où je pique à droite sur un flanc de colline bien dégagé les chefs macaques doivent me repérer vu le raffut qu'ils se mettent à faire, et du coup toutes les saloperies de perroquets qu'il y a plus loin au château ça les rend dingos.

Pliée en deux comme les guerriers des clans en train de marcher vers leur fin à la bataille de Culloden*, je gravis des pentes qui arrêtent pas de monter de plus en plus haut. Je grimpe en coupant droit dans le néant complet — le Levi's trempé qui devient tout raide aux cuisses tellement il fait un froid à crever — en gardant tout le temps en tête que suspendu dans je ne sais quel coin des altitudes tel un encensoir bleu cyan se balançant au vent, niché dans la conque d'un cirque encombré de caillasse, il y a le feu de camp... le feu de camp avec son angle au sol qui m'a permis de l'entrevoir au moment où je nageais dans le Chenal puis me l'a masqué de tout là-bas en bas, au pied de l'unique ampoule de la Cale au Ferry.

Je tombe sur eux d'un coup. Le feu surgit des ténèbres au moment où je me hisse et hisse en haut d'une pente. Je me baisse vite fait pourtant je sais que d'à côté de la flambée, sur fond de ciel nocturne, on peut pas me voir.

Deux mecs : vieux, avec une espèce d'air-inoffensif-bajoues-molles-calvitie-fraternelle qui donne confiance, comme si le premier était incapable de faire quoi que ce soit de mal sous le constant-regard du deuxième. Mais derrière eux, il y a *ce truc, ce truc* posé là dans la lumière de cette bonne vieille flambée. Je plisse les paupières, je m'assure que je suis bien en train de voir ce que je vois mais j'ai tellement froid que je m'avance dans leur lumière et voilà que les deux hommes commencent par pivoter la tête vers le cercueil installé à côté d'eux sur les tréteaux pliants avant de prendre la peine de se retourner pour me dévisager.

« Holà, un des frères lâche en toussant.

— Viens-t'en donc de là-bas, grande, qu'on forme une quadrature de cercle.

— Ouais, que les chiens puissent voir le lapin, il dit le Premier.

— D'où diable tu sors ? Ça fait des heures qu'on t'attend, nous », il dit le Plus Dégarni, l'air fâché-pour-de-rire. Il décoche un regard en coin au Premier qui pousse un rire couinant.

« Ça circule ce soir. » (Lâche un hoquet en regardant autour.)

« C'est l'heure de pointe...

— On est sur les genoux...

— Carrément crevant les visites. »

Je m'accroupis à côté du feu et je regarde les flammes en souriant. Je lance : « Je traverse l'Intérieur pour aller au Drome.

— Nous on va dans l'autre sens. Vers le large. Tous les trois. » Le Premier crache dans le feu. « Devine ce qu'on a enfoui en dessous de ce feu ? Une grosse mère poulaille chourée dans l'Enclos du vieux Gibbon et enveloppée dans du papier alu. Ça sera prêt dans... (sa montre tourne avec un petit cliquetis au moment où il lève brusquement le poignet)... à peine un petit moment.

— Tu sais comment ça s'attrape les poulets ? » il demande le Plus Dégarni.

Je fais comme ça : « Non.

— Ça s'attrape de nuit, il caquette le Premier.

— Ils y voient *rien* dans le noir !

— Z'y-voient-rrrrien !

— Ça te *dirait* un petit bout de poulet ? »

Je fais comme ça : « Ah *ouii* alors. Miam !

— Alexandre. J'espère que vous avez astiqué l'argenterie.

— Hier soir c'était de la saloperie de perroquet mais plus jamais ça.

— Je peux poser une question ? » Je regarde le cercueil en bois noir de l'autre côté, sur les tréteaux.

« De la carne comme bestiau. Le steak de perroquet.

— Papa », il fait le Premier en hochant la tête.

Je hoche la tête à mon tour.

« On lui a promis de l'enterrer en mer...

— Alors quand il nous a quittés y a de ça une semaine mardi nous on est allés pour se renseigner et voilà qu'on apprend que pour un enterrement en mer avec la marine de guerre il faut réserver des *années* à l'avance.

— Et lui qui a fait les convois pendant des lustres, pas vrai Alexandre ?

— Et bien sûr pour ce qui est d'organiser son propre enterrement en mer y a *toute* la chierie de réglementation et de paperasse *imaginable*...

— L'argent y change rien.

— "Les linceuls ont pas de poches, les gars."

— C'est ce qu'il nous a toujours dit, "Les linceuls ont pas de poches", alors on l'enterre nous-mêmes en mer, de l'autre côté de l'île. Faut qu'on traverse jusqu'à la Pointe Inaccessible, et vu qu'elle est inaccessible on est obligés d'y mener le Papa à pied.

— Et une fois qu'on y sera y va nous falloir un bateau pour l'amener jusqu'au large...

— Appareiller pour sa dernière sortie en mer, carré-

31

ment loin au large pour que le cercueil en bois le ramène pas vers l'île... »

Je demande : « Vous avez entendu parler d'un type qui s'appelle l'Argonaute ?

— L'autre du kayak ? On peut pas confier le Papa à un gusse pareil. »

Juste à ce moment-là un bruit sort du cercueil. Je me tourne pour voir. Ça vient de l'intérieur, c'est le brrr, brrr, brrr d'un téléphone portable.

« C'est le portable à Papa.

— Il a demandé à être enterré avec...

— Il y était très attaché... quittait jamais sa main droite...

— Il y est encore... » le Premier marmonne.

Le Plus Dégarni détourne la tête vers le Premier et il fait comme ça : « Sûr que c'est le père McKercher qui demande après ses honoraires », il me regarde et il explique : « Notre comptable. »

La sonnerie du téléphone s'arrête et après un silence le Premier sort un paquet de Chesterfield qu'il offre à la ronde. Je secoue la tête et je fais comme ça : « Je viens d'arrêter, merci. » Le Plus Dégarni en prend une et ils les allument après le feu. Quelques gouttes commencent à tomber.

« Contrairement à ce qu'on suppose, c'est *cette marque-là* que James Bond fumait », il fait le Premier.

Le Deuxième, le Plus Dégarni, réplique : « Je suis pas James Bond et personne s'attend à ce que je le devienne. » Il se lève et va jusque vers le cercueil où une grande bâche en plastique pliée est posée. Il la ramasse et la secoue alors du coup ça fait un grand bruit frétillant. On est tous là à regarder le cercueil : sur le flanc verni, rivetée, il y a une plaque en métal blanc avec une inscription en lettres noires qui miroite dans la lueur instable du feu de camp :

PAPA 007

32

« C'est quoi cette espèce de numéro qu'y a sur le côté ? je fais comme ça.

— C'est la plaque d'immatriculation personnalisée de sa Jaguar, la deuxième est de l'autre côté. »

Le Plus Dégarni étend la bâche en plastique sur le cercueil pour l'abriter de la pluie.

« Bon, et si on se déterrait ce *poulet* ? » il lance le Premier. Il attrape un bâton et il commence à fourrager en poussant les braises rouges de côté pour atteindre le petit four qu'il a creusé en dessous dans la terre. D'un coup, les deux hommes se retournent et regardent vers le large, du côté de l'obscurité du Chenal, puis j'entends moi aussi, et en tournant la tête je vois la nouvelle lumière et aussi celle qui s'allume rouge par à coups, en train de se déplacer : un cône de lumière dirigé vers le bas qui promène un rond scintillant à la surface de l'eau.

« Namsterdam, qu'est-ce qu'il fabrique ? il râle le Premier.

— Le petit ferry a été coulé par le grand ; il manque un passager.

— Quoi le petit a coulé ? *Encore !* il fait comme ça le Plus Dégarni.

— Le Namsterdam il devrait pas être là-bas, c'est un truc officiel ça.

— C'est un vieux Ricain, un ancien du Vietnam, qui a son Westland Wessex à lui. Il transporte plein de poteaux et de barbelé quand ils clôturent les pentes, sur les hauteurs. Pendant son temps libre il fait du sauvetage en montagne et en mer, un vrai scandale : on court cent fois moins de risques à se retrouver planté sur un rocher ou en train de barboter en mer qu'en montant dans son vieux tas de rouille. »

Je demande comme ça : « Pourquoi qu'on lui donne ce nom-là ?

— Attention gaffe, nénette, voilà le Piston d'Achnacloich* qui s'amène. Allez fils, amène-toi maintenant, allez. » Aussi sec le Premier sort son zob et entame la

33

méga-vidange pile dans les flammes du feu de camp qui se mettent à cracher en furie totale. Je recule d'un bond pour éviter les gros bouillons de vapeur et la vieille biroute qui pendouille là pendant que le nuage puant se dissipe un peu puis une dernière ombre mouillée s'abat et tout vire au noir d'encre.

La voix du Plus Dégarni fait comme ça : « Eh ben. On va peut-être pas le manger ce poulet.

— On l'appelle Namsterdam parce que après avoir fait le Vietnam comme pilote à Huê il a passé vingt-cinq ans à Amsterdam pour s'en remettre avant de venir ici.

— Si ce taré nous voit il va venir et tâcher de se poser : ensuite il voudra plus démordre de transporter le Papa, l'amener au large en hélico et le lâcher de là-haut. »

Moi je demande : « Ça serait pas plus simple ?

— Ah ! nénette, nénette, tu peux pas comprendre ça toi, qu'un type de la Marine refuse qu'un de l'armée de l'air se mêle de ses affaires si y a moyen de l'empêcher. »

La voix du Plus Dégarni fait ensuite : « Surtout pas je ne sais quel Ricain à longue barbe qu'a jamais vu ni chemise ni cravate ni eau et savon ».

On regarde le projecteur de l'hélicoptère qui balaie les eaux du Chenal. Ça se met à pleuvoir plus fort, carrément dru.

Dans le noir je demande : « Y en a pas un de vous deux qui connaîtrait ce type, John Fraternité, celui qui tient l'hôtel Drome ? » J'entends les gouttes qui s'écrasent sur leurs blousons en polyester. Un des deux tousse mais j'arrive pas à savoir lequel. Quand il y en a un qui répond c'est le Plus Dégarni.

« On a lu Joseph Conrad : y a un passage où quelqu'un demande à une fille si elle croit pour de bon au Diable. »

Et la voix du Premier dit : « Elle répond qu'y a plein

d'hommes pires que des démons qui s'arrangent pour faire un enfer de cette terre. »

Je couche en dessous du cercueil. Les pans de la bâche en plastique battent et le téléphone portable à l'intérieur du cercueil reçoit un ou deux appels aux heures les plus noires. J'arrive pas à m'endormir et pendant ce temps-là l'aube tout en brumes gris ardoise commence à se lever. Je rampe de là-dessous et je laisse la pluie me rincer le visage ; je longe la tente à pas de loup — puis je m'en vais par les sentiers à moutons avant de m'enfoncer dans la première combe. Vers midi je vois les vestes de quart jaune vif loin là-haut sur la crête au-dessus, qui avancent en direction du socle maousse de l'antenne télé. Dans le lointain, les antennes multiples de l'ancienne Station de Recherche et d'Observation : le sommet des coupoles satellites perdu dans la brume ou les nuages.

J'ai tellement faim que je tremble quand j'arrête d'avancer, du coup il vaut carrément mieux continuer. Au bout de la combe, sur la pente du volcan éteint j'arrive à un tapis de mousse tout emperlée d'eau. Des petites gouttelettes accrochées au vert émeraude écumeux et aux dentelures frisées du lichen. Avec la langue je lape les diamants liquides puis en plaquant les lèvres contre la mousse et en frottant le visage d'un côté à l'autre avec le bout de la langue bien sorti j'arrive à lamper des litres et goûter le jute végétal de la vie brute en floraison. J'arrive à déceler nos origines fétides aux endroits fanés, humides. Je repère une pousse rose et je m'agenouille cul en l'air pour enfouir la figure loin profond dans cette éponge planétaire de mousse en fleurs et arracher des morceaux du pied avec les dents. Les meneurs de bétail me voient comme ça, fesses en l'air, au moment où ils descendent par l'ancienne route à troupeaux. C'est quand le Guide tout mal rasé crie « la lune est déjà levée » que je me retourne et je me relève en un clin d'œil.

De voir ça on en reste bouche bée : la démarche déhanchée flemmarde du bétail, avec des grandes éclaboussures de bouse plein jusqu'en haut des pattes... il y en a une, deux, trois... onze plus la bête meneuse avec son pelage spécial tout trempé.

Je vais jusque vers le type tout mal rasé qui guide, au-delà de l'herbe qui recouvre la route à troupeaux et qui est tellement chargée d'eau qu'elle renvoie le reflet du ciel : on dirait que je traverse un tapis de nuages pour aller le rejoindre.

« *Toi*, dans quel sens tu vas ? il fait comme ça.

— Vers le Drome tout là-bas.

— Ah ouais ? Nous on va en direction du continent jusqu'aux Pâtures d'Hiver. Aujourd'hui on leur a fait traverser les Enclumes en Brume, contourner l'Orée des Bois, et maintenant on se dirige vers les Endroits Éloignés ensuite on les fera passer à la nage de l'autre côté du Chenal.

— Arrête. Ça nage les vaches ?

— Ça nage des *kilomètres,* elle braille la fille avec le caméscope.

— Du moment qu'on a une bonne bête meneuse les autres suivent, il explique le mal rasé.

— T'as pas une carte d'état-major des fois ? il lance le barbu. On se sert de celle-là qui date du quinzième siècle mais elle est truffée d'erreurs. »

La fille fait comme ça : « On suit les anciennes routes à troupeaux, les noires, ça couvre cent cinquante bons kilomètres pour traverser jusqu'au Continent. »

J'écarte mes bras tout tremblants : « C'est pour quoi faire tout ça ?

— Groupe d'études universitaire.

— Une partie des fonds de soutien vient de la CEE.

— Et un peu du ministère de la Culture... il ajoute le barbu.

— Les garder groupées de nuit c'est la galère mais

on voulait prouver que ça pouvait toujours se faire, elle fait la fille.

— Vous avez rien à bouffer ? je leur sors comme ça recta.

— Ben, disons qu'on chasse et qu'on pêche, qu'on tâche de faire comme au quinzième siècle en rajoutant juste Gore-Tex et caméscope dans le tableau ! »

Le mec mal rasé qui guide fait comme ça : « On allait justement établir notre camp en bas au bord de la rivière : on va tenter un petit coup de pêche nocturne, on dégotera forcément quelque chose de bon. »

Deuxième Soir

Dans le noir d'encre total qu'y a là-bas j'entends la bête meneuse qui se balade, qui rumine son herbe en secouant la tête de côté comme elles font. Le troupeau à l'entrave se découpe tout noir au-delà de l'endroit où le mec barbu est en train de chasser avec son arbalète démontable. J'ai les fesses mouillées trempées dans l'herbe gorgée d'eau à côté du feu de camp. Tout d'un coup revoilà l'autre Dernier des Mohicans qui s'avance dans les ombres flageolantes que la lumière jette. Ça se remarque la façon qu'il a de fumer le pétard en tenant l'arbalète le long de sa cuisse.

« Comment tu fais pour chasser de nuit ?

— L'instinct », il fait comme ça. Puis il sort son baratin : « On pense qu'au Moyen Âge les gens étaient tous faits en permanence à cause des lysergides qui donnaient l'ergot aux racines de céréales : *tout le monde* explosé, à déguiser les animaux avec des fringues avant de les juger au tribunal. »

Du fond de l'obscurité voilà le Guide mal rasé et la fille avec le caméscope de retour de leur pêche nocturne. Ils ont une anguille enroulée et un seau plein de champignons qui perd. Je tiens pas à goûter l'anguille mais le barbu fait comme ça que ça ressemble un peu à du poulet. Une fois bouillis les champignons flottent tous à la surface du seau. Le barbu en mange quelques-uns puis on voit sa figure qui se contracte à la lueur du feu de camp. Il ramasse son arbalète et il s'éloigne à grands pas jusqu'à ce qu'on l'entende plus. Quand il revient il a une oie morte transpercée par un carreau. Ils la collent sur le feu d'une pièce sans même la plumer, mais elle prend feu et ensuite elle explose.

« C'est où pour les toilettes ? » je sors. En fait je veux demander pour du papier toilette.

« T'as qu'à aller n'importe où », elle me fait la fille.

Je lui lance un regard — très grande dame — mais elle a pas le réflexe de percuter. Je marche et marche en tâchant d'aller me mettre hors de la vue des autres trois groupés autour du feu de camp mais y a pas moyen de savoir à partir d'où ils voient plus. Je m'accroupis et je cague : l'herbe tellement trempée qu'elle renvoie le reflet de la zébrure que le feu trace, les grandes tiges que j'empoigne et que j'arrache et arrache avant de frotter en remontant à deux mains puis de les rejeter sur le côté. Voilà ce que la vie a de plus humiliant que tout le reste : être obligé d'aller chier quand on a rien bouffé depuis quarante-huit heures.

Quand je retourne en direction du feu de camp on les voit, avec leurs silhouettes brindilles noir d'encre, et je me gaufre tout d'une pièce en trébuchant sur un truc noir qui se soulève d'en dessous de moi et m'envoie bouler sur le côté : ça me coupe la respiration et de frayeur je lâche un juron en me cramponnant le ventre à deux mains, je me roule en boule, je tourne la tête et je regarde droit dans la figure du Diable. « Fraternité », je murmure, puis je me marre tout haut en sautant sur mes pieds et du coup le souffle de la vache m'arrive à hauteur de poitrine. Je pousse un petit couinement de trouille puis je recule pour voir si les autres m'ont vue faire.

Je les rejoins et je me cute. « Je crève la dalle, merde, je fais comme ça.

— Y a pas que *toi* ! » Le barbu se met à hurler à la

mort et avec un chtong l'arbalète contre sa cuisse part pendant que moi je plonge de biais, en restant loin des braises du bord. Tous on entend le carreau d'arbalète faire mouche, un temps de silence, le sol qui tremble dans la nuit : le premier choc c'est les genoux de la bête qui s'effondre, le deuxième gros boum c'est le corps qui bascule de côté.

Avec une branche enflammée à bout de bras, le Guide ouvre la marche jusqu'à ce qu'on tombe sur la carcasse : le carreau s'est planté droit entre les deux yeux.

« Putain, la bête meneuse, tu nous as tué notre bête meneuse, connard d'emplâtre que t'es. » Le Guide secoue la tête. On voit du sang noir dans les poils sur le front de la vache morte, le carreau qui dépasse.

« Comment on va faire pour les mener ? la fille se met à sortir comme ça.

— Qu'est-ce ça fout, on se le grille ce rôti ? » moi je lance. À la lueur de la torche en flamme les autres trois ils me regardent, les yeux ronds, par-dessus la carcasse noire trempée.

Le Guide et le barbu sont en train de bouffer, du sang noir encore plein les bras jusqu'aux coudes, ils enfournent des petits lambeaux de viande dans la bouche avec les doigts.

« J'ai bossé quatre ans à l'Équarrissage là-bas aux Endroits Éloignés : c'est comme ça que je connais ces terres et aussi ton fameux Fraternité du Drome. » Le Guide mâchonne.

« J'ai rien à voir avec lui, je l'ai jamais rencontré ce mec-là. » Je secoue fort fort la main vu que je viens encore de me brûler le petit doigt avec la viande super chaude.

« Ah bon. Tu ressembles pas du tout aux pensionnaires qu'y a d'habitude dans son hôtel. Moi j'allais y livrer la viande là-bas. Il tenait la jambe à tout le monde, t'imagines ? Avec cette drôle de manie de se mettre à déballer des histoires, comme si elles te concernaient pile toi. À moi il me faisait pas le coup mais je l'ai entendu qui la jouait aux plus jeunes mariées là-haut dans le Salon d'Observation, le soir, avec un feu dans la cheminée pareil que celui-là... Fraternité, le Pète-Consigne, qui tâchait de faire marcher les nanas, en causant *d'histoire,* avec le visage juste dissimulé, en retrait dans l'ombre :... "alors comme ça vous ne connaissez pas la fille de ce type ? Le sort qu'elle a connu est retracé dans un tas de documents. J'ai fait toutes les recherches sur le sujet. J'avais un petit faible pour la recherche : le poudroiement doré de la lumière de bibliothèque qui m'inondait, la table esquintée, le troquet face à la porte principale, de l'autre côté de la rue, où je pouvais aller prendre un café au lait en fumant les cigarettes locales. Et la fille, ah : elle est tombée aux mains de la plèbe parisienne au cours de cette année qu'on a étudiée tant et plus pour y puiser quelques éclaircissements sur la nature humaine. 1789 et la plèbe exerçaient certaines formes de vengeance sur les oppresseurs d'autrefois, à moins qu'il faille leur donner le nom de tyrans, car qu'est-ce que la vie sinon un éventail de tyrans et tyrannies ? Enfin bon le viol était très en vogue et cette fille, cette aristocrate particulièrement timorée, s'est retrouvée coincée dans son palais — un palais, je me souviens pas lequel pour le moment mais c'est sans importance de toute façon. Vous imaginez comme ç'a pu être sa fête une fois que ces mecs lui ont arraché toutes ces soieries et dentelles si délicates", à peu près à ce moment-là, Fraternité s'interrompait pour produire son petit effet... "elle avait la peau d'une telle blancheur que d'après ce que rapportent certains érudits même les femmes de la plèbe n'ont pas pu se retenir de la chevaucher en même temps que leurs hommes, telles des figures de proue fugaces. À la déception unanime de ces vengeurs, voilà que la jeune fille s'évanouit, ou peut-être même qu'elle meurt sous leurs attentions alors ils la traînent jusque dans la cour où ses domestiques et ses parents se trouvent, captifs. Sous les yeux du père et de la mère, le meneur de l'insurrection sectionne la tête et les membres de la fille. L'un des révolutionnaires pose le torse qui reste devant le père et la mère, tombe culotte, trouve le bon endroit encore intact sur le torse et à la lueur des flammes, au milieu des hurlements de ses camarades, le particulier en question fait l'amour d'une nouvelle manière au corps qui a plus ni tête, ni bras, ni jambes. Imaginez la scène si ça vous chante ! Quand il s'est redressé en décernant un grand sourire à la mère, la couche de sang qui le recouvrait a dû luire, noire dans la lumière des torches brandies et les flammes du palais en train de flamber à cette heure. Mais non contents de ça, voilà nos enfants de la révolution qui bourrent de poudre un vieux canon et qui font feu pour expédier la tête, chacun des membres et pour finir le torse sectionnés contre un mur de pierre à côté de la mère et du père qu'on force à regarder. La plèbe soumet ensuite les parents et toute la maisonnée au même traitement : mise en pièces et boulet-de-canon-express".

« Autour de la cheminée du Salon d'Observation, dans la pénombre trouée par les bouts rouges des cigarettes qui s'illuminent puis se déplacent poliment, une des voix de jeunes mariées se fait entendre :

"Mais ça s'est passé il y a tellement longtemps..."

« Celle de Fraternité reprend, après un ricanement de gorge sagace : "J'ai menti."

"Sur ce qui a été fait à cette fille ?" C'est la plus jeune mariée, la non-fumeuse, à qui on voit les veines sur les tempes dans la lumière des petits déjeuners, la lumière grise d'un univers qui sait pas comment s'arrêter d'exister, qui bourdonne contre la vitre du Salon d'Observation, écœurant de monotonie : une lumière méduse qui tremblote au bord des eaux du Chenal.

« Fraternité répond : "Non. Tout ça s'est vraiment passé, j'ai juste changé la date et quelques détails. Tout ce que je dis s'est passé en Europe. L'an dernier." Le

Pète-Consigne pouffe un hennissement dans l'obscurité. »

Les meneurs de bétail ont pas de tente, eux ils s'enroulent dans des peaux de bêtes achetées chez un tapissier, sauf le barbu qui dort perché dans un arbre pour pas être emporté par les eaux. J'enfile la veste de quart de rab et j'attache les deux capuches bien serré puis en me faisant un oreiller avec la musette de fringues, je passe une meilleure nuit que celle d'avant, en dessous du cercueil. Alors qu'il fait encore noir je suis tirée de mon demi-sommeil par des lueurs carrément bizarres qui balaient le fond de la combe. Je suis pas vraiment sûre si ce que je vois est un rêve ou la réalité — les mouvements de ces ombres étranges — alors je tourne la tête pour regarder au-delà du feu éteint en direction de la rivière. Je vois un petit îlot, sa base noire posée sur l'eau illuminée, en branchettes et taillis tellement denses qu'on voit rien au travers : le fouillis de branchettes noires du dessus est en train de flamber, il sort des petits filets de fumée du bois au ras de l'eau et tout le bastringue est en train de descendre le courant en projetant sa lumière sur les deux berges jusqu'à ce qu'il soit bien plus loin dans la combe.

Troisième Soir

C'est un peu plus tôt dans la journée que j'ai vu le cheval. J'avançais dans le fond de la combe quand, très loin, j'ai vu ce grand cheval qui arrivait vers moi. C'était un de ces bestiaux de trait : il avait un harnais autour du cou et il m'a jeté un regard carrément salace avant de s'éloigner en piquant un petit trot de temps en temps. Je suis restée plantée là à regarder autour mais y avait pas un chat.

A la nuit tombée je repère toute une enfilade de feux le long de la combe d'après, avec des flammes qui se reflètent dans l'eau noire de la rivière, et ça s'étire comme un cours d'eau en direction de la côte. Je me dis qu'un convoi de buissons en feu doit être en train de dériver, mais à force de regarder je me rends compte que les îlots enflammés suivent pas le lit de la rivière.

« Charlie ! »

Je l'entends qui appelle bien avant de voir la lampe torche qu'il tient alors je m'écarte du chemin.

« Charlie ! »

Il fait un peu peine alors je lance du fond du bois : « C'est un canasson que tu cherches ? »

On voit que le mec se met à paniquer à mort, cloué sur place à balader le pinceau de sa torche à droite à gauche puis il s'abrite les yeux avec la main. J'avance d'un pas, sa torche se pose sur moi en glaglatant, danse de haut en bas pour m'éclairer puis elle s'éteint avec un clic. « Merde alors », il fait comme ça entre ses dents, et ensuite : « Qu'est-ce que tu *fous là-dehors* de nuit ?

— Tu connais l'hôtel Drome ?

— Chez Fraternité ? T'essaies d'y aller ou plutôt de t'enfuir ?

— Je *vais* là-bas.

— T'as pas vu ce salopard de Charlie ?

— Le cheval ? J'en ai vu un grand plus tôt dans la journée mais ça c'était à des kilomètres d'ici dans la dernière combe que j'ai passée.

— Eh merde, dans quel sens il allait ?

— Vers la côte et il filait comme un dératé.

— Le con, il se croit encore sur le Continent. Tous les vendredis il remet ça à cinq heures pétantes, cet arsouille, il sait à quelle heure débaucher alors il se rentre chez lui, y a rien moyen de lui faire faire après cinq heures. C'est le père Charlie qui a fait dérailler le train l'autre fois sur le Continent : il est resté coincé sur le passage à niveau avec un traîneau de grumes au cul, le train est arrivé, il s'est mangé les grumes et il a versé, et le père Charlie, lui, il est rentré à l'écurie peinard comme tout.

— C'est quoi qui se passe ici, tous ces... feux de joie qu'y a tout le long de la rivière ?

— C'est nous autres bûcherons, on est sur un contrat d'essartage, trente bonhommes pour dégager le bois qu'y a au-dessus du manoir : et ces feux que tu vois, c'est les rochers qui font saillie le long de la rivière. Tout ça, l'élagage et la branchaille, ça nous sert à flamber les roches de nuit pour les éclater, et le matin on dynamite et on dégage la caillasse. On essaie de creuser la rivière plus profond pour pouvoir flotter les troncs tout du long et les expédier carrément de l'Intérieur jusque vers le Drome, et de là leur faire remonter le Chenal en barge. »

Je lui sors aussi sec : « T'as rien à bouffer ?

— Écoute, ces gusses, là, ils sont un peu en manque de gonzesses, tu vois, le seul truc qui les intéresse à l'heure qu'on est c'est un petit coup de Conquête de l'Ouest à Dos de Chameau avec un beau petit brin de rouquemoutte : service tournant, temps de jeu limité, et robusta bien corsé en fin de partie... tu vois le topo ?

— Ouais, je fais.

— Je crois qu'y faut vraiment que t'évites de te pointer là-bas. »

Il s'arrête une seconde puis il sort comme ça : « Voyons voir qu'on t'examine d'un peu plus près. T'es de l'Ile ?

— Non.

— Pourquoi tu vas te mettre dans les pattes à Fraternité ? Ce foireux de sa mère refuse de nous laisser récupérer les troncs à l'embouchure de la rivière pas loin de l'Aérodrome, par là... il veut une part du fric.

— Et pourquoi j'irais pas ? Comment ça se fait que tout le monde a peur comme ça de Fraternité, c'est pas le croquemitaine ce type ?

— Il a tué des gens, en Afrique et aussi deux gamines de la combe juste après celle-là.

— Qu'est-ce qui te le dit qu'il a tué des gens ? Il serait en taule.

— C'est pas qu'il les a massacrés à la hache ou je ne sais quoi, mais ça revient quasiment au même.

— Comment c'est arrivé ?

— C'est quoi ton nom ?

— Mon nom ? » Je tâche de décider. Lynniata, Serenella Cerano Berniez ou encore un autre des noms que je prenais pour m'amuser. Au bout du compte c'est mon vrai nom que je donne et que lui il répète, en formant les voyelles tout au bout des lèvres avec l'air de se hausser sur la pointe des pieds, le visage dans le noir.

« A becqueter. Regarde dans quoi tu marches ————— (et là il dit mon nom)... t'es au pays du lait et du miel. »

Je baisse la tête pour regarder les ténèbres épaisses

autour de mes pieds, le super rond de lumière de sa torche qui sautille autour du bout de mes pompes, puis je distingue tout un semis de boîtes de conserve dorées brillantes, plates avec le bord roulotté : je m'accroupis et j'en ramasse une.

« Des rations, sûrement du pâté ou si t'as de la chance, des trucs cuits au sirop. Des rations militaires piquées aux Territoriaux. Le mec qu'on appelle Namsterdam, l'espèce de poivrot qui pilote un hélicoptère, c'est lui qui fait les lâchers de bouffe toutes les semaines mais y a deux trois allumés avec lui qui balancent les caisses n'importe où sur la colline, et nous sur des kilomètres on retrouve des boîtes de conserve éparpillées dans tous les coins. »

La boîte s'ouvre avec une clé, comme une boîte de Spam et dedans c'est du pâté que je mange sur la pointe du couteau du mec. On s'assoit contre un tronc d'arbre le temps que lui il fume une cigarette.

« Tu sais comment elles ont été boisées ces collines ? » il fait comme ça.

Entre deux fournées de pâté je fais : « Non.

Le Père Foullitude Il avait des canons. Des vieux machins à poudre, dans les années cinquante il les avait traînés jusqu'ici dans la combe et ensuite ils ont passé des journées entières à tirer des pleins barils de spores et de semis sur les flancs de la montagne. »

Je hoche la tête, je pense à l'histoire de canon de Fraternité. Y a juste le point rouge lumineux de quand le mec tire sur sa clope qui s'illumine au fond de ses orbites profondes.

Il fait à voix basse : « Tu sais pourquoi on sacque la forêt ? Le fils aîné du Manoir au fond de la combe il s'est flingué là-bas dedans l'an dernier, le coup de feu a fait gicler la cervelle plein les branches d'un sorbier. La vieille dame, au manoir, la fenêtre de sa chambre donne sur les bois. Elle a changé de pièce mais chaque fois qu'elle voit la forêt ça lui rappelle, alors du coup... nous on est chargés de sacquer le bazar entier et ensuite on brûle tout ce qui reste. Moi là-haut je bosse avec Charlie. Y a tellement de pente par endroits que c'est même pas la peine d'imaginer y faire grimper un tracteur, alors on trimbale tout le tintouin avec Charlie et sa schlitte. Moi normalement je les plante les arbres alors ça fait un sale effet, mais trois sous en plus c'est trois sous en plus.

— Dis donc, c'est pas que j'aie une idée derrière la tête mais je peux m'appuyer la tête contre ton épaule ? » je demande.

Lui il fait : « Bien sûr. Allez, paie-toi un petit roupillon. »

Dans le noir je fais comme ça : « Il a vraiment tué des nanas Fraternité ? »

D'une voix basse il répond, et du coup son épaule bouge super contre ma joue, pour dire : « Ça fait chaud au cœur de voir comme tu me fais confiance sur ce coup-là : en plein bois la nuit une fille aussi divine que toi... »

Je me cogne l'oreille contre son épaule en me marrant : « ... Divine ! ! !

— ... Qui débouche à grands pas de l'Est obscur avec deux trois étoiles d'eau derrière l'épaule. C'est pas que je te fasse du rentre-dedans ou quoi. » Il prend une grande goulée d'air, tout excité, et il lance : « T'y crois toi aux moments poétiques ? Moi je crois que c'est ça le bonheur : d'essayer de vivre une succession de moments poétiques, pas planté là-bas dans les caravanes avec les autres mecs, mais dehors, au milieu des derniers arbres qui restent, rencontrer une grande nana barjot... regarder le soleil se lever dans les bras d'une inconnue.

— Hé oh. Je suis pas barjot.

— ... Une vie qui serait rien qu'un long poème, t'imagines...

— ... Je vais me tirer avant qu'il fasse jour mais je peux passer mon bras là ? J'ai juste besoin d'un câlin... » L'épaule remue.

« Je suis marié et je l'aime. C'est mal de faire ça ? »
Je sors comme ça : « Y a aucun mal à ça. Je suis sûre qu'elle est super jolie.

— Quand elle sourit elle fronce les sourcils en même temps. Avant elle travaillait à l'ancienne station de recherche là où y avait l'Observatoire. C'était l'été, elle s'est déshabillée tellement lentement qu'avant qu'elle fasse glisser ses bas il faisait déjà nuit dehors et ensuite elle a craqué une allumette pour me montrer le petit grain de beauté sur sa cuisse qui reproduisait exactement le dessin du groupe d'étoiles qu'elle observait. Son téléphone portable a sonné mais elle l'a laissé je sais pas où dans l'herbe et au moment où on s'est embrassés je me suis rendu compte qu'elle tâchait sérieux de se rappeler mon nom depuis la fête, en disant qu'elle s'en foutait de ce que sa vie allait devenir. Quand elle s'est allongée elle a oublié pour de bon qui j'étais, et elle s'est mise à marmonner le nom des étoiles bleues au-dessus de nous. »

Au bout d'un long moment je dis : « Ça doit être carrément génial d'être comme ça.

— Hou, c'est moi que voilà avec une fille que je connais d'une demi-heure qui me passe le bras autour...

— Ça compte pas, je dis. Crois-moi, m'sieur, elle je veux que tu l'aimes *encore plus*. Je veux que ça soit toi qui mettes le holà. Moi ça fait belle lurette que j'ai lâché la rampe... je compte pas.

— Ah ouais ? Faut pas compter sur une petite pipe, alors ? »

On se marre tous les deux puis un oiseau s'envole à tire-d'aile en fracassant les branches de sapin qui pendent comme des parapluies, et ça secoue tellement de gouttes que la voûte de branchages remonte en souplesse un peu plus haut.

Du fond de la noirceur le mec dit : « Ça t'arrivera à toi aussi.

— Quoi donc ?

— L'Amour.

— Penses-tu. Y a eu quelqu'un une fois, mais jamais le bon depuis...

— Ça viendra, ça viendra comme une maladie.

— Non. »

Un long long moment de silence se passe.

« Regarde les étoiles : ce monde tellement grand et rien que nous ici », il fait comme ça.

Je lance : « Fraternité ?

— C'était les sœurs Erin, qui venaient de tout là-bas au Centre d'Été entre la Réserve Ornithologique et les Nouveaux Lotissements. C'était après le retour de Fraternité dans son vieux zinc. Il s'est arrangé pour qu'elles tombent toutes les deux amoureuses de lui. Il s'est arrangé pour. Avec sa belle gueule et son fric. Son père trimait comme un esclave à l'hôtel Drome pendant que lui, Fraternité, il courait le guilledou par les montagnes avec Lynne et Rosa dans sa jeep. Il les a emmenées dans l'hydravion, ils ont survolé la côte, ils sont passés au ras de la chapelle du Centre d'Été, au-dessus des plages de la Pointe Inaccessible, avec les oiseaux de la Réserve qui décollaient des falaises en dessous des ailes inclinées : macareux et cormorans qui plongeaient droit vers la mer. Je m'imagine bien les sœurs Erin, que tout le monde se sentait chargé de protéger, le nez collé aux hublots.

« Je venais juste de quitter l'école à ce moment-là et je passais mon temps affalé à un bout du bar au Drome, avant que Fraternité fils le ferme au public pour en faire un bar réservé aux pensionnaires de l'hôtel. Et lui il était là, à dégoiser ça à mi-voix d'un air content de lui, les histoires qu'il raconte encore mot pour mot aux jeunes mariées, devant le feu de bois dans le Salon d'Observation.

— Quelles histoires ? je marmonne, genre endormi.

— Tous les trucs qu'il a faits avec les sœurs.

— Attends, je devine : il se les est faites toutes les deux *en même temps*, il les a fourrées dans son lit ensemble ou alors elles sont venues se fourrer dans son lit à lui pour faire ça à trois ? La belle affaire. J'ai fait pire. »

Il lâche comme ça : « Ben oui. Bien sûr.

— Ça a rien de bien méchant, juste histoire d'être le premier à faire ça dans son petit bled.

— Ouais, mais c'est pas ce que tu crois. Fraternité, là-haut dans son bar, le visage en retrait dans l'ombre il racontait : "Je me souviens bien que c'est Lynne que j'ai embrassée en premier. Installés tous les trois sur la berge du Torrent des Cimes Sans-Chagrin. Un après-midi d'août. Au moment où ses lèvres et les miennes se sont touchées Lynne était allongée sur le dos en dessous de moi. Ma main s'est posée sur sa jambe droite et je me souviens encore de cette douceur adolescente. Rosa, qui avait renversé la tête au même moment sur la bruyère, a lâché un hoquet." Les mêmes phrases que celles que Fraternité sort aux jeunes mariées de là-haut dans le Salon d'Observation, installées en tailleur, et lui qui les regarde au fond des yeux, à les guetter pendant qu'elles se disent... *il est complètement cinglé. On est venus se mettre quinze jours à la merci d'un psycho-pathe...* Fraternité scrute, à la recherche du moindre signe d'excitation chez les femmes. Il continue... "Lynne et moi on a gémi, mais Rosa aussi. Pendant que j'embrassais Lynne sa sœur gémissait ! Et comme je caressais en remontant le long de la jambe (là, Fraternité se penche peut-être un peu plus en avant dans la pénombre du salon)... je me suis rendu compte que Lynne me laissait remonter sous la robe : mes doigts ont frôlé le nombril et sont remontés jusqu'au téton. Lynne ronronnait du fond de la gorge quand mes doigts ont trouvé, au bout du sein gauche, un poil unique. (Fraternité trouve son rythme de croisière à cette heure.) J'ai pincé ce poil unique entre le pouce et l'index et j'ai laissé filer mes doigts pour voir quelle longueur il faisait et là... dingue... ce poil incroyable s'étirait loin loin en partant du sein, trente, soixante, quatre-vingt-dix centimètres de long, il a guidé ma main jusqu'à l'autre bout, l'endroit où il s'arrêtait : l'anneau d'argent sur le sein percé de la poitrine tout aussi douce de Rosa. Et voilà que Rosa haletait comme une folle : c'était délicieux et captivant de découvrir où s'arrêtaient les sensations de Lynne et où celles de Rosa commençaient mais je n'ai jamais pu tirer ça au clair ce jour-là. Le regard rivé aux deux visages des jumelles, leurs nez minces et leurs yeux noirs, amantes télépathes en train d'œuvrer ensemble à notre plaisir à tous, j'ai glissé la main sur le côté de la troisième jambe et jaugé ce détail ultime : cherché à tâtons la merveille de cette même confirmation humide qu'un homme d'Europe de l'Est avait cherchée aussi, allongé sur le tas sanguinolent qui était encore une jeune femme mince quelques minutes plus tôt... ce que sa main a trouvé la mienne aussi, cet endroit commun, ce repli secret où les jumelles partageaient réellement tout et j'ai pénétré leur vagin unique, je leur ai fait l'amour. Les autres hommes avaient trop peur, pourtant je n'étais pas le premier. Prenez les femmes des Jumeaux Bunker. Les Bunker n'étaient pas collés à un endroit critique comme Lynne et Rosa, qui avaient en commun la vessie, l'appareil digestif, les organes reproducteurs. Les Jumeaux Bunker eux étaient attachés par une bande de peau graisseuse le long du flanc. Deux sœurs les ont épousés et à eux quatre, dans des nuits de frénésie partagée, ils ont engendré vingt enfants, tous en parfaite santé. Ils ont vécu jusqu'à l'âge vénérable de soixante-treize ans, et sont morts l'un et l'autre le même soir." »

Je murmure : « Des jumelles siamoises, les sœurs Erin étaient jumelles siamoises.

— C'est ça. Fraternité les a installées à l'hôtel jusqu'à ce qu'il ait fini par les rendre toutes les deux folles de jalousie l'une envers l'autre. Rosa a essayé de se séparer de Lynne en tailladant à coups de tranche-lard. Elles se sont vidées de leur sang pendant le transport par avion.

— Il couchait avec elles et elles étaient collées ?

— Elles avaient un seul... »

Je fais comme ça : « Ben merde. » J'enlève la tête de son épaule.

Lui il fait : « T'imagines un peu les racontars qui ont circulé dans l'île. Y a toujours un jumeau qui domine, physiquement : quand elles étaient gamines c'était toujours Lynne qui clopinait devant, en traînant cette troisième jambe entre elles deux. Y a de la tragédie inscrite dans ce genre de relations alors Fraternité il lui a juste suffi d'exploiter ça pour les monter l'une contre l'autre.

— C'est quoi toute cette histoire de jeunes mariées de l'hôtel à qui il sort toutes ces salades ? »

Le mec allume à nouveau une cigarette, propose, mais je secoue la tête. « Des pensionnaires. L'hôtel Drome il tient ça comme une boîte à lunes de miel. Ça passe tout par des agences de voyages dans les Plaines du Centre : on amène les couples en avion avec ces petits coucous qu'y a là-bas, Fraternité les réceptionne dans sa connerie de limousine blanche intérieur rose, ils passent une quinzaine sur place et ils repartent par le petit avion. Délire comme plan. »

J'ai reposé la tête sur son épaule et je me rends bien compte qu'il discute, qu'il me met en garde, mais je pique quand même du nez.

Je me réveille. Je le crois d'abord parti puis je vois le bout rouge d'une cigarette là-bas vers un arbre. J'ai son blouson roulé en boule sous la joue, la fermeture Éclair froide enfoncée dans la chair.

« Hep.

— Sa*lu*-ut.

— T'as parlé en dormant. »

Je souris, souffle de l'air chaud par le nez.

« T'as dit : "Fraternité" et aussi un autre nom », et là il dit le nom que je reconnaîtrai seulement plus tard, pourtant c'est impossible que je le connaisse déjà sur le moment mais c'est vraiment ça qu'il dit, comme si tout ce qui arrive était déjà arrivé avant. Pendant que la lumière bondit de derrière les montagnes qui se dressent plus loin vers l'Intérieur moi je dis au revoir au parleur nocturne et je trisse en passant devant les caravanes avant de m'enfoncer dans les mystères de nouveaux bancs de brume, d'obscurité, et avec la lanterne du ciel derrière et les braises dorées des îlots disséminées le long de la rivière d'où une toute dernière fumée s'élève dans le froid de l'aube, le cours d'eau a l'air en feu.

Le soleil est levé et je suis tout près d'une des Petites Routes quand j'entends les pétarades au bout de la combe, puis c'est des pas sur la tirée de route goudronnée et ça continue jusqu'au moment où voilà le ronronnement de la moto à Raiguiseur qui s'amène dans mon dos.

« Dans le genre farfelu t'es nul total, mec, nul total à côté de ce que moi j'ai fait et vu tout Là-Bas », je lui crie au moment où il arrive, avec les bois de cerf sur son casque de moto (qui l'ont fait arrêter par la suite comme cause potentielle d'accident) en train de se balancer lentement d'un côté sur l'autre pendant qu'il freine pour s'immobiliser : la vieille bécane s'étouffe en pétant.

« T'as des couteaux à faire aiguiser ? » il fait comme ça, et il sort une petite pomme aigre de son blouson de motard et la pique au bout d'un des andouillers. Il grogne, secoue la tête jusqu'à ce que la pomme dégage et s'en aille rouler un peu plus loin sur la route. Il prend le sifflet rossignoleur qu'il utilise devant les cantines, cuisines et boutiques pour annoncer son arrivée, il souffle dedans : ça sort un drôle de bruit tout stridulant.

« J'en ai pas de couteau. » Puis ça me revient d'un coup et mes doigts tâtent celui du bûcheron dans la poche de la veste de quart. « Enfin bon, j'ai ce...

— *Chouette* pièce...

— C'est même pas à moi. T'as rien à becqueter ? » J'avance jusqu'à la pomme, je la ramasse et sans la frotter sur le Levi's, je croque dedans. Je lance comme ça : « Regarde voir », d'un coup d'épaule je tombe le sac de sur mon dos et j'en sors la deuxième veste de quart de la Coopérative Maritime que je lui tends. « Paie ta virée jusqu'à l'hôtel Drome.

— Allez. T'as perdu ton mari ?

— Je veux juste y faire un petit séjour. » Je lève la tête vers l'immensité dingue des sommets tout autour. « Après, tout sera de nouveau bien. Pour un temps. »

Il prend la veste puis il la rend. « Pas mon style, cocotte.

— Tu pourrais la revendre.

— Tu sais quoi, je vais t'aiguiser ton couteau gratos ! » Il vire la jambe d'un coup par-dessus la bécane si bien qu'il faut reculer d'un pas pour se garer des andouillers. Il se reçoit à croupetons et le voilà en train de hisser l'engin sur la béquille, puis il prend une courroie, genre courroie d'aspirateur, il la passe dans la gorge d'un disque au centre de la roue arrière. D'une sacoche en cuir esquintée il sort une meule en pierre noire à tout petits grains luisants, et la fixe près de la pédale, tire pour tendre la courroie, et quand il actionne les gaz au guidon la meule se met à tourner à toute vitesse.

« C'est pas la peine. Sérieux, je dis.

— Envoie ton truc : je vais y en mettre une lichette. » Il prend le couteau et commence à déplier quelques-uns des outils du manche. Il y a une mini-paire de ciseaux qu'il lorgne en plissant les paupières avant de se mettre à tailler les touffes de poils qui lui sortent des trous de nez. « Tu me le files je te paie un tour de bécane.

— Il est pas à moi. C'est celui d'un pote et il va falloir que je lui rende. »

A deux mains il plaque la petite lame sur la meule en train de tourner, un bruit scrouinant fait gicler des étincelles sur le goudron mouillé. D'un geste super habile Raiguiseur retourne le couteau et replie la lame.

« Tu connais Chef Macbeth, le cuistot du Drome ?
C'est moi qui y fais tous ses couteaux.

— Je connais personne là-bas.

— Alors pourquoi t'y vas ? »

Je hausse les épaules : « Un petit peu de vacances.

— Hin ! Ça devrait pas être mal.

— Mmm, je lance. Les pensionnaires sont tous mari
et femme... genre jeunes mariés, c'est ça ?

— Non, penses-tu... Y a ce Type du Ministère des
Transports. Tu le verras. Celui-là tu le verras piquer
tout un tas de bouts de cabanons et de granges : des
débris autorisés, de la légitime récup, j'en discutais
avec l'Argonaute. C'est de la légitime récup, ma
belle ! »

Par simple précaution je lui reprends le couteau.
D'un coup il fait sauter les boutons de sa chemise et il
l'ouvre en grand comme ça on voit son torse velu grisonnant. Je recule de quelques pas.

« J'ai un trou au cœur. Écoute ça ! Boum-boum
BOUM, boum-boum BOUM ! Écoute ça, ma belle !

— Ça me dit pas trop.

— Écoute, ça te portera chance. »

Je lâche un soupir et je pousse mes tifs, lourds et
gras, derrière mon oreille, je me baisse et en faisant
super gaffe je pose la joue contre le torse dur. C'est pas
des charres, le cœur bat tout drôle avec un troisième
coup qui s'ajoute bizarrement. « T'as raison, ton cœur
cogne pas pareil », je relève la tête et je secoue les
cheveux.

Raiguiseur fait comme ça avec un regard lubrique :
« Tout le monde cogne pas à la même cadence.

— Ouais. Ça c'est vrai », je dis.

Il reboutonne sa chemise et se met à chanter ou
brailler :

« Mama she was the work of the Devil
And the fire escapes are burned to Hell... »

Il tourne en rond en faisant semblant de jouer de la guitare puis en raclant la semelle il revient vite fait se planter sous mon nez et il fait comme ça entre ses dents : « *Toi* tu sais très bien pourquoi que t'es là, et moi pareil Jessie, t'es une chasseuse et une charognarde pareil que tous les autres qui s'amènent ici du fin bout de la galaxie. Une chasseuse avec une petite idée en tête, hé, HÉ ! Eh ben moi je vais te dire un truc, je vais te dire un truc Calamity Jane », il tourne la tête dans tous les sens en scrutant les flancs de montagnes qui s'élancent tout autour de nous avec les balafres blanches des cours d'eau gonflés de frais qui strient la combe entre les bosselures vertes humides et les taches de fougères rousses. « Je l'ai *vu*, ma belle, je l'ai vu... VU ! Je l'ai... touché, il fait à voix basse. Un débris de vaisseau extraterrestre.

— C'est ça, je sors comme ça.
— Fraternité m'a permis.
— Ah ouais ?
— Ouais. OUAIS, bien sûr que ouais. J'ai vu ce que ça a fait. Ah putain, ah PUTAIN, on peut pas comprendre, on peut pas percevoir ça, tout ce qu'on croyait tombe en poussière entre les doigts, entre ces doigts-là. ÇA. »

Je fais oui de la tête et je vais pour me remettre en route dans la combe. Il m'emboîte le pas.

« Fraternité m'a permis. Moi Fraternité m'*aime bien*. Mr Fraternité pour toi. C'est lui qui m'a donné les bois de cerf que j'ai là. J'étais avec lui dans la Land Rover. On avait creusé un grand trou et le cerf il est tombé pile dedans. Pas moyen de le sortir ce gros fumier alors Fraternité il y a jeté un nœud coulant autour du cou, il a attaché l'autre bout après la Land Rover et puis, bon, on a démarré, tu vois. Putain, t'aurais vu les yeux lui sortir de la tête au gros civet, le cou a craqué et il a sauté en l'air. Encore vivant, le gaillard, alors Mr Fraternité attache une corde dans un arbre puis il tire le cerf dehors du trou en deuxième avec la Land Rover, il

57

met la gomme et prrrouic, voilà que ça arrache la colonne vertébrale avec un gros ballot de tripes et la tête. Moi ça m'allait bien comme ça mais Fraternité il a continué de treuiller pour débiter le bestiau, il y arrache une patte de l'articulation puis il saute à bas de la Land, il retourne voir à grands pas et il attache le crochet à la cage thoracique ou je ne sais quoi, il le taille en pièces, avec du sang plein les bras, des grosses mouches bleues qui se répandent de partout. Je te le dis moi y a pas de lois sur terre pour tenir cet homme-là. »

Je garde les yeux rivés par terre.

« Tes sûre que t'as rien d'autre à faire aiguiser ? Ça m'est déjà arrivé de faire les limes à ongles pour femmes : ces petits trucs en fer que vous trimbalez comme armes, vous autres.

— Moi j'en ai pas.

— De Dieu ! Plus haut là-bas y a un gars qu'a débouché des buissons avec un arc et des flèches, en voyant qui j'étais il a voulu les faire aiguiser : putain, je suis tellement une bête avec cette meule que je pourrais tailler ton crayon si t'en avais un. » Il rebrousse chemin jusqu'à sa bécane et commence à démonter son attirail, il vire la béquille d'un coup de pompe et il s'amène en accélérant dans mon dos alors du coup je m'écarte dans l'herbe.

Il freine à ma hauteur et tend le bras tout droit vers le haut de la montagne de derrière moi. « T'irais plus vite en grimpant au trot par-là-bas-dessus et en te laissant dégouliner jusqu'en bas des pentes de l'autre côté : longe la rivière par cette berge-là en te gardant un bon kilomètre et demi de marge et pique vers l'ouest, ça te mènera pile sur le Drome. »

En même temps que je grimpe j'arrête pas de me retourner pour regarder la petite bécane descendre la combe, Raiguiseur qui attaque bizarrement les virages sans pencher, bien droit, tellement lentement qu'il a l'air arrêté dans le tournant mais non, le voilà qui recontinue d'avancer puis d'un seul coup il se met à vraiment bourrer sur les portions en ligne droite.

J'entre dans la nappe de brume au milieu des caillasses éparpillées, des endroits plats recouverts de touffes d'herbe qui s'étirent sur les côtés puis qui rebiquent au pied d'un nouveau talus. Les nids de vanneaux sont en folie : des mères plongent en piqué en me piaillant après pendant qu'une autre me fait le coup de l'aile cassée et s'éloigne en sautillant pour m'entraîner loin du nid... j'enjambe tout doucement les petites corbeilles brunes quasi invisibles et les minuscules œufs jaunes et châtains.

De plus haut vers le crêt, les rouelles d'arbres du fond de la combe se massent plus serré et forment des plaques noires grumeleuses avec des bords bosselés. On dirait que l'île tout entière glisse à partir de moi comme un disque, étalée bien rond, de là-haut on voit en face : des montagnes au loin qui s'élèvent comme des éruptions de vapeurs, des piliers de nuages pareils à des pousses printanières, le massif qui m'a donné mon nom de l'autre côté du Chenal déployé où un soleil humide s'étire en scintillements aveuglants, jusqu'à l'endroit où la mer vire au noir furieux... le vaste océan vaste qui s'arrête jamais sauf quand ça se trouve qu'un rocher style *Chris Martin** surgit des dents du fond marin. Je reste à contempler au loin cette mer qui nous entoure.

Des semaines plus tard dans le Salon d'Observation c'est l'idée qu'on soit encerclés par les eaux qui me fait parler du Sentiment Gouvernail. Assise en mini-jupe, le haut des cuisses qui s'amincit en plongeant vers le tissu que je viens de raccourcir, sous le regard incrédule des jeunes mariés et de leurs jeunes mariées soupçonneuses, je les hypnotise : le récit de mon arrivée à l'aéroport de Londres, le rouge à lèvres barbouilleux d'avoir roulé des palots, quand je me fais tous ces milliers de kilomètres de couloirs puis la douane pieds nus avec juste un sac plastique de culottes sales et attaché sur mon dos un énorme nounours qu'on m'a gagné à la fête à, peut-être bien Formentera ou alors Fuerteventura, qui sait ? Je me marre, mon regard noir détourné, je me marre toute seule... les bonheurs d'autrefois au moins garantis à tout jamais, même contre ce dangereux séjour dans les parages de Fraternité. Je lance : « Le Sentiment Gouvernail c'est complètement différent du Sentiment Caramel Mou. Le Sentiment Gouvernail c'est quand j'étais gamine que mon père adoptif me prenait par la main et m'emmenait voir les bateaux de pêche. Les bateaux ça m'intéressait pas, juste la texture et la taille des gouvernails et des hélices que je voyais en suspens dans le monde bleu verdâtre en dessous du renflement des coques. Ça me foutait la trouille une fois dans mon lit de penser à ces gouvernails, malmenés au-dessus des fonds froids de l'Atlantique qui déroule sans arrêt ses flots en dessous d'eux. »

L'Aéro-Crash Expert, Celui Qui S'Avance dans le Crépuscule du Firmament avec des Bouts d'Épaves Brandis Au-Dessus de la Tête, LUI hoche la tête très vite, plusieurs fois, son whisky qui clapote après les parois du gobelet et il dit comme ça : « On craint les mondes sous-marins ; leur fond c'est la terre, la surface mouvante un nouveau ciel, on a horreur des Trucs Vivants : requin qui se prélasse ou baudroie qui pourrait frôler la jambe nue et ces gouvernails ces hélices... leur immersion permanente, ça en fait des seuils qui mènent à ce monde caché. »

Il a raison. Je fais oui de la tête en regardant ses yeux perdus dans le vague se tourner vers les eaux vert-de-gris du Chenal.

Mais tout ça c'est venu plus tard : avant mon Bannissement, et moi je continue de grimper tant bien que mal les collines de plus en plus raides jusqu'au moment où toute l'île se retrouve loin en dessous pendant que moi je descends entre les parois grises de rochers tout en biais — certains à-pics sont trop raides alors du coup on est obligé de faire des grands détours et de redévaler jusqu'au pied des collines en bas par les sentiers à moutons.

Je vois la tente de très loin sur le versant abrité de la Cote 96, la langue de fumée visqueuse qui s'élève mollement au-dessus des mélèzes clairsemés. Même de sacrément loin on arrive à repérer sa maousse carcasse devant de la tente.

« Hé-ho là-bas, je fais signe avec la main.

— Tiens donc. Vénus sur la Demi-Conque », il braille l'Avocat du Diable, la voix qui se déporte un petit peu avec la fumée de son feu de camp.

« Je suis vraiment super désolée : l'essence, dans ce réservoir. Vous auriez facile pu y laisser votre peau. » J'avance jusque tout près de lui.

« Asseyez-vous, grande, asseyez-vous. Je vais vous dire une chose : j'ai contribué récemment à faire rétrograder saint Christophe de la position qu'il occupait, saint patron des voyageurs.

— Ouais. Je sais, je fais comme ça.

— Eh bien ma foi, il était sûrement pas à bord de notre bateau cette nuit-là !

— Ça c'est bien vrai. Ils vous ont cherché. En hélicoptère.

— Vous inquiétez pas. J'ai croisé deux Mormons venus en mission de Salt Lake City, dans l'Utah, qui piquaient sur les Endroits Éloignés à travers la montagne. Ces messieurs m'ont appris qu'une battue était lancée. Une récompense est placardée pour qui retrouvera un ours enfui alors du coup le digne équipage de l'hélicoptère en question écume les montagnes à la recherche du grizzly.

— Celui du zoo vers le château ?

— Celui-là même.

— Elle est dingue cette île. Tout ça on croirait un rêve. » Je regarde la figure de l'Avocat du Diable. Elle a les mêmes ressemblances que toutes les autres tronches de mecs que j'ai vues jusqu'à maintenant.

« Vous voyagez vers quelle destination ?

— L'hôtel Drome. Elle est super cette tente que vous avez, je dis.

— Tiens donc. La tanière de Mr Fraternité.

— C'est loin ? »

Il fait comme ça : « Juste au-delà de ces arbres. »

Je me lève, sans prendre le sac, puis je vais tranquille jusqu'aux mélèzes. À mes pieds en contrebas il y a qui se déploie : les flots larges du Chenal, le cimetière encerclé par les mini-filets d'eau qui restent de la crue de la rivière, le vert vif de l'extrémité du terrain d'aviation, la piste gazonnée derrière la plantation de sapins, la Grande Route et, là, nichés au milieu des sapins, les toits et les arêtes de l'hôtel Drome et des dépendances.

Je reviens peinarde jusqu'au mini-campement. L'Avocat du Diable est en train de casser des miettes de pain et de les balancer devant lui. Au moment où je m'approche il tourne la tête vers moi et me fait chut avec les lèvres. Je repère le rouge-gorge qui sautille sur le tronc couché plein de mousse et je vois ses deux yeux en perles noir dense.

L'Avocat du Diable sort comme ça : « On dit que le rouge-gorge a essayé d'enlever la couronne d'épines de la tête du Christ, et que le sang lui a taché la poitrine. »

Moi je fais : « C'est vrai ? Dites vous pouvez pas en garder un peu du pain ? »

Il me regarde bien puis il me tend le pain et du coup le rouge-gorge se tire comme un ingrat, plonge et prend son essor au-dessus des formes cylindriques des troncs d'arbres débarrassés de leur mousse et tombés depuis belle lurette sur le flanc spongieux de la montagne.

« Merci m'sieur. » J'arrache un morceau de la miche de pain et je lui tends le reste. Il abaisse de ces yeux, les blancs tellement clairs qu'on dirait qu'il a les paupières maquillées. Il regarde à son tour mes yeux qui doivent être noirs, et plisse les siens.

« Vous avez pas l'air en forme.

— Ça ira une fois que je serai arrivée à l'hôtel. » Je le vois qui me mate de haut en bas et d'une certaine manière je comprends qu'il comprend pile à ce moment-là.

« Asseyez-vous près du feu. » Lui reste debout et déplace le rondin qu'il a nettoyé de sa mousse et où il a dû tellement s'asseoir que le bois est sec et lisse. Je pose un cul dessus et je mords dans le reste du pain.

« J'ai de la soupe en boîte, des pêches en boîte au frais là-bas en bas dans le torrent. Vous mangez avec ? »

Je fais vite oui de la tête.

Il s'éloigne en direction du bruit précipité de la rivière puis il se retourne pour me regarder. « "Le juste pour les injustes, afin de nous mener à Dieu." Pierre. Chapitre 3. Verset 18.

— Mmm. Hmm-mm », je fais oui de la tête sans m'arrêter de mâcher le pain.

En une demi-seconde il disparaît derrière la colline pelée et moi je fais volte-face et je passe la tête dans la tente. Ça pue la sueur, y a des tas de bouquins, un grand sac de couchage tout tire-bouchonné dans la lumière bleue bizarre qui passe par le tissu de la tente. Un grand sac polochon est appuyé contre le battant à fermeture Éclair. Je palpe les poches latérales du bout des doigts puis je regarde par-dessus mon épaule et j'en essaie une autre avant d'avancer à quatre pattes sans faire toucher mes pompes pleines de boue pour rien salir. Comme oreiller il se sert d'une serviette de toilette roulée en boudin et tout humide : je tâtonne pour chercher un portefeuille mais à peine je touche je sais ce que c'est.

Le temps qu'il regrimpe la pente en se dandinant je le vois cracher un mégot de clope puis agiter les boîtes de conserve tout joyeux.

« Fraternité, celui-là qui tient le Drome, on dirait qu'y se raconte un tas de conneries sur lui, je lance.

63

— John Fraternité. » Il hoche la tête en faisant semblant de mâcher quelque chose, il se retourne et il jette
une nouvelle fournée de branches sur le feu, au passage
les brindilles frottent contre mes pieds avec un bruit
menaçant. « Vous avez changé de blouson, il sourit.

— Ce vieux c'est mon préféré. L'autre veste, là, je
l'ai eue quand le petit ferry a coulé. On a tous eu des
fringues gratuites là-bas à la Coopérative Maritime.
Fallait voir ça. Comment vous avez fait pour vous sortir
du bouillon ?

— Ç'a été un miracle », il sourit d'un air futé, en
levant ses mains sales au ciel. Il sort un cigare de
dedans son genre de soutane, il se met à genoux et en
faisant rouler le cigare il le chauffe sur les flammes
toutes neuves. « Il faut toujours chauffer un bon cigare
comme ça il se consume régulièrement et en plus... »,
il gnaque le bout avec ses belles dents blanches puis,
l'air vulnérable, il tremble sur ses genoux en portant le
cigare à sa bouche : « Il faut *jamais* que la flamme avec
quoi on l'allume touche le cigare, sinon ça risque de lui
flinguer tout son goût ; un cigare ça s'allume avec la
chaleur qui s'élève au-dessus de la flamme. Vous écou-
tez ce que je dis ? il demande, l'air carrément flippant
cette fois.

— Vous savez quelle marque de cigarettes il fume
James Bond ?

— Bien sûr. Pourquoi vous parlez de James Bond ?

— *Alors* quelle marque ?

— Chesterfield.

— C'est un saint James Bond ? »

Son cigare est allumé et il me rit au nez super fort.
« Un confesseur ou je m'y connais pas ! Ah là là, si ça
se trouve c'est peut-être bien le seul qu'on ait sur cette
terre.

— Vous faites vraiment ce que l'autre Mataf, là, il
a dit l'autre fois après le naufrage ? Y... dit que vous êtes
un décideur, de qui doit être un saint tout ça.

— C'est exactement ce que je fais. »

Je hoche la tête. Plus personne parle. On se regarde l'un l'autre, puis je romps le silence en fouillant ma poche pour en sortir le canif. « Y a un ouvre-boîtes dessus.

— J'ai le mien. » Il sort un couteau et commence à l'enfoncer dans le dessus de la boîte. « J'ai été au Mexique y a pas longtemps.

— Ah ouais ?

— Oui. Il y avait des rumeurs à propos d'un miracle. On m'a envoyé enquêter. Un coin rural. Le visage du Christ apparaissait comme une apparition sur le mur extérieur d'une petite chapelle. Je suis arrivé là-bas un dimanche pour trouver des tas de gens rassemblés à genoux devant le mur sud et moi aussi je l'ai vu...

— Vous avez vu ?

— Oh oui. Je l'ai vu. Le visage du Sauveur : la barbe, les pommettes de Golgotha. Alors j'ai attendu jusqu'à minuit : le curé et moi on est sortis avec des seaux d'eau, on a lessivé la chaux du mur...

— Et...

— On a découvert que les paysans du coin avaient adressé leurs prières à l'affiche d'un concert de Willie Nelson qui avait eu lieu dans la grande ville la plus proche en 1973. »

Je le regarde et j'éclate de rire à mort. Lui il sourit puis il se marre aussi. Il verse la soupe dans une casserole qui a l'air toute neuve avec mini-poignée pliante, il s'entoure la main d'un chiffon puis il tend la casserole au feu. « Regardez », il fait avec un signe du menton.

Le soleil est super bas à l'autre bout du Chenal, avec les montagnes qui s'élèvent de chaque côté à partir du rivage. Le long de la crête de la colline voisine, de l'autre côté de la rivière, qui pique en pente assez raide vers le bas-côté de la grande route, la silhouette avance, une ombre chinoise découpée à contre-jour sur la lumière de derrière : jambes qui tâtent pour trouver leur chemin, qui s'avancent prudemment, bras tendus incertains, qui tiennent le grand bout battant de je ne sais quoi en l'air, brandi comme ça parce qu'il est trop grand pour être tenu sous le bras. Il continue, en projetant sa propre ombre sur les pousses de fougères mortes, si on devait se représenter la bonne musique pour accompagner le spectacle de ce type qui traverse le firmament ça pourrait être les Stone Temple Pilots qui jouent Big Empty sur la bande-son de The Crow ou si on devait choisir un morceau de Verve ça serait forcément un truc du premier album, Slide Away ça serait le mieux.

L'Avocat du Diable il fait comme ça : « Un pensionnaire de l'hôtel Drome.

— Un pote à Fraternité ? » Je plisse les yeux dans l'après-midi.

« D'après ce que j'ai entendu dire. Ces trucs c'est des morceaux de deux avions qui se sont écrasés sur le terrain d'aviation il y a dix ans, Ce type-là, qui regroupe tous les morceaux, il est arrivé il y a quelques mois du ministère des Transports. Apparemment ils ont rouvert l'enquête. Il vit à l'hôtel au milieu de tous ces sales couples, et il enquête sur ce qui a provoqué la collision des deux avions : des petits zincs sans plus mais deux hommes sont morts. »

Je prends la soupe et je mange à même la casserole avec une cuillère. C'est quand même trop chaud, alors je la pose sur mes genoux et je regarde la silhouette de l'Aéro-Crash Expert en train de disparaître avec son fardeau dans l'ombre de la montagne. Je demande : « Dans les années soixante-dix, c'est des armes ce genre de trucs qu'il vendait Fraternité là-bas dans d'autres pays ?

— Oui. Et sans scrupules en partant du principe que si lui leur vendait pas la camelote ça serait le suivant. Je le connaissais le fils Fraternité à l'époque. Un jour il m'a parlé de je sais plus quelle guerre — y en a eu tellement — où l'aviation s'était débrouillée pour se procurer du carburant mais ils avaient plus de munitions du tout : ni roquettes, ni bombes, même plus de balles pour les mitrailleuses. Fraternité s'est dit qu'y aurait pas d'attaques aériennes mais y en a eu quand même : les avions se sont pointés en volant bas et très vite au-dessus des villages de civils. Les pilotes ont balancé des sacs de clous rouillés par les cockpits ouverts. "Des clous qui pleuvent à 450 km/h ça peut faire de sacrées décorations sur un corps de gamin", voilà ce qu'il en a dit Fraternité. C'est curieux. Il étale jamais aucun senti-ment et pourtant c'était clair que ce jour-là l'avait sacrément marqué. D'après lui c'est là qu'il a compris que le Diable avait gagné la partie un jour sans que per-sonne s'en rende compte : on a seulement l'impression que la bataille continue. Lui ç'a été ce jour-là qu'il a compris que les hommes rêvent tous d'une explosion nucléaire quand ils font l'amour et crèvent secrètement d'envie de voir disparaître leurs gosses juste par curio-sité. L'amour serait qu'une illusion minable alors il s'est employé à démontrer que ça existait nulle part au monde. Voilà pourquoi il a monté ce ridicule hôtel à lunes de miel : il aime la vulgarité de ce truc et il s'amuse à chercher la preuve, qu'il trouve toujours, qui démontre qu'aucun des couples n'éprouve vraiment d'amour...

— Mais ça existe l'amour : rien qu'hier...

— J'aimerais que vous arriviez à le prouver à Frater-nité. Ce type-là il refuse de s'autoriser la moindre illusion.

— Alors je pense pas que votre métier l'impres-sionne beaucoup. »

Il ricane. « Je suis pas son idole. Comme ça vous croyez que je travaille sur des illusions ? Oubliez pas ce qui s'est passé après qu'ils ont mis votre gusse en croix ?

— Il m'a jamais aidé une seule fois », je fais comme ça puis je deviens rouge brique quand je me rends compte qu'y a plus de soupe alors que j'ai déjà chouré des trucs à ce mec. Il reprend la casserole et me tend les pêches ouvertes.

« Gaffe de pas vous couper la langue.

— J'ai jamais rien mangé d'aussi bon. » Je lui souris. Il hoche la tête et continue de fumer son cigare.

« Vous êtes *quoi* ? Une espèce de vagabonde ? il sort comme ça.

— J'ai voyagé par-ci par-là, je dis. Vous allez pas me dire qu'y faudrait que je me pose.

— Ça c'est un truc qui regarde votre... » il s'esbouffe d'un rire plein de fumée.

Je déglutis et je hoche la tête en tâchant de faire passer les pêches. « Racontez encore une autre histoire de Fraternité ensuite je m'en irai lui lécher le cul à ce connard.

— Dites voir. Je sais pas à quoi vous allez jouer làbas mais vous m'avez pas trop l'air de la chercheuse de trésors type.

— Comment ça, de trésors engloutis comme l'autre Argonaute il cherche ?

— Mmm. Non...

— Alors quoi ?

— Qu'est-ce que vous allez y faire là-bas ?

— C'est personnel.

— Vous risquez de débarquer en plein tir croisé.

— Pas la peine de sortir la grande sérénade pour moi.

— Une nana roulée comme vous, Fraternité en fera qu'une bouchée », il rigole, secoue la tête. « Je suis cinglé de vous laisser rien qu'envisager de descendre là-bas. »

Je me lève vite fait, je ramasse la musette en la tenant serrée contre la poitrine, la face avec la reprise du côté visible. L'Avocat du Diable reste assis pendant que je commence à m'éloigner tranquille du feu.

« Et vous voilà repartie. J'y peux rien ; je me disais juste que vous étiez davantage qu'un des numéros qui errent par ces terres démentes au jour de la fin.

— Ouais bon, c'est tout le temps le jour de la fin pour vous autres prêcheurs. On vous a jamais entendus dire autre chose.

— À bien y réfléchir, ma chère, chaque jour qui passe est celui de la fin pour quelqu'un et le vôtre viendra bien assez tôt.

— Fais risette, mec ! » je lance en rejoignant le sommet de la Cote 96. « Merci pour la bouffe. »

Je continue à descendre le long de cette large pente dans le jour tombant. C'est seulement plus tard que je saurai que celui qu'on appelle l'Avocat du Diable est retourné à sa tente, a vérifié sous l'oreiller et a constaté ce qu'il soupçonnait : puis lâché son gros rire sain. Il aurait facile pu gueuler, dévaler la colline en courant et me rattraper avant que je passe la première des clôtures barbelées, et moi qui me croyais tirée d'affaire, j'avançais à grands pas dans le crépuscule, la musette pointée en avant comme une grossesse, en me rappelant tout le temps comment

[Note de l'Éditeur : cinq mots illisibles ; pourraient être *Villian a dit un jour*]

DEUXIÈME MANUSCRIT

Première Partie

Samedi Quatorze

Je suis dans le Salon d'Observation qui surplombe la piste gazonnée quand je vois sa silhouette cramponnée à une musette sur la Cote 96 au sud de l'hôtel et du terrain d'aviation. Elle apparaît à côté du mélèze rabougri : celui après lequel il y a dix ans on a retrouvé le cadavre du pilote qui reposait là, décavé par les corneilles mantelées et le sale temps.

Le soir où elle apparaît il fait clair et glacial. Le convoi débarqué du grand ferry (quelques voitures déjà en phares) s'est éloigné sur la grande route le long du littoral en direction de l'Extrême Bord.

J'ai une vue bien dégagée de sa silhouette au loin en train de descendre les pentes, d'avancer à grands pas dans le soleil mourant qui illumine les enchevêtrements de pousses de fougères écrasées tour à tour rousses puis pourpres, les tiges rabattues trempées et collées à une terre qui va devenir une plaque de glace dure à la tombée de la nuit.

Pendant un petit moment, au-dessus du littoral, la silhouette de l'inconnue se découpe au même niveau que les bouquets de mélèzes les plus lointains éparpillés sur les pentes nues au-dessus de l'hôtel et du terrain d'aviation. La lumière gris argent sur les flots de la « baie » s'arrête de scintiller. Le soleil descend derrière les montagnes couronnées de neige qui forment au loin les côtes du Continent le long du Chenal en forme de fjord.

Elle débouche sur le littoral près des ruines de la chapelle, et du cimetière où les restes du pilote sont enterrés. La lumière est en train de sacrément baisser quand elle surgit ensuite sur le côté de l'hôtel où il y a la plantation de sapins qui masque la fin de la piste et son extrémité sud, à la hauteur de l'endroit où il y a dix ans de l'aluminium s'est plié dans l'air nocturne. Elle a dû traverser le replat que la bouffée naissante qu'on ose appeler printemps va ponctuer de pâquerettes d'un blanc pur : tapis qui vire au rose quand un nuage froid passe au-dessus et que l'envers sensible des pétales — où on dirait qu'un peu de bourgogne a été renversé — se laisse retrousser, résigné. Elle prend le pont où passe la route pour traverser la rivière en crue qui charrie des tonnes d'eau glacée de l'Intérieur et qui les déverse dans les volutes troubles du delta sableux plein de varech en contrebas du cimetière. À ce moment-là je vois un truc.

Debout en train d'essuyer un verre derrière le bar du Salon d'Observation, Fraternité entend mon rire silencieux. Il est en tenue de soirée nœud papillon. Le couple de la numéro 6, assis à côté du feu de bois, lève la tête comme un seul homme. Il fait tellement sombre dans la pièce que maintenant je ne fais que discerner les orbites de l'homme et qu'en dessous du menton je jurerais qu'il porte un bleu de chauffe noir corbeau.

Fraternité s'approche tranquillement des grandes fenêtres panoramiques, prend les jumelles posées sur la peinture écaillée du rebord et les porte à ses yeux. À mi-distance le petit truc en forme d'avion s'élève silencieusement sur le fond sombre des sapins puis amorce un piqué tremblotant, rêveur et abrupt, telle une hallucination : irréel, pas comme un Vrai Truc, il tombe en plongeon compliqué en direction de la silhouette qui marche jusqu'au moment où, cette fois, elle chope la trouille et se jette à plat ventre sur le noir total du sol froid. C'est Chef Macbeth tout au bout du terrain d'aviation, planqué en bordure de la plantation, qui fait voler sa maquette radioguidée avant le service du dîner. Fraternité et moi on se marre tous les deux en voyant la silhouette svelte se relever de la sente noire par terre et s'avancer vers nous. L'avion radioguidé remonte au-dessus des épicéas et disparaît.

Au large sur les récifs des Oyster Skerries la balise automatique qui indique la voie de navigation entame son signal à onze secondes. L'étoile polaire clignote faiblement au-dessus des eaux du Chenal qui glissent en silence, si larges, tel un Mississippi funèbre.

Au moment où le gravier rougeâtre d'en bas crous-tille sous les chaussures de la jeune femme, il se passe deux choses : une lune faible, pâle comme du petit-lait, se reflète sur l'épaule et la manche de son blouson en cuir noir et tous les postes télé se rallument d'un coup au moment où la réception se rétablit là-haut dans les montagnes où se trouve l'antenne. Fraternité leur coupe le son, bras tendu comme pour un salut fasciste.

Le temps que la fille s'amène jusqu'au lampadaire extérieur à l'angle du bâtiment, je me suis carré dans le meilleur fauteuil, loin de mon reflet dans la vitre noire. J'ai vidé mon whisky en gardant les glaçons contre ma lèvre, puis j'ai posé le verre.

« Tiens, tiens, *tiens,* une vraie pensionnaire ! » Fra-ternité jette le torchon sur le bar et descend l'escalier-spirale jusqu'au comptoir de la réception au rez-de-chaussée.

J'entends la porte principale s'ouvrir pour livrer pas-sage à la nouvelle arrivante, puis une deuxième fois : Chef Macbeth avec son avion sous le bras, qui se dirige vers les cuisines. J'écoute : pas de prise de bec qui aide à tuer la soirée.

Je contourne le bar et je me sers un Linkwood quinze-ans-d'âge tassé, pendant qu'il y a encore des glaçons dans mon verre. J'ajoute une giclée d'eau de la carafe. Sans faire attention aux regards que me lancent ceux de la numéro 6 je m'installe au bar sur un tabouret pour être hors de portée de voix quand Fraternité reviendra.

J'entends battre les portes incendie, et quelques minutes plus tard leur couinement différent dans l'autre sens. Fraternité regrimpe l'escalier-spirale, cligne de l'œil, se coule derrière le bar et bascule négligemment le goulot du Linkwood dans son gobelet en faisant déborder une méchante giclée puis sans y faire attention il plonge le nez dans le whisky pur, accoudé à côté de l'unique pompe à bière. « Super canon : c'est tant qu'elle veut pour se chatouiller la foufoune avec ma brosse à dents, moi je m'en ressers tous les jours matin et soir. Dans les vingt-quatre vingt-cinq, on dirait qu'elle s'est baladée un bon bout de temps dans des coins pas faciles. D'où diable elle peut bien arriver ? » Il s'interrompt puis, en se concentrant, il murmure : « Sur le bas trempé de son fute y a un mouchetis de fougères mortes couleur d'or recuit. La manche de son blouson en cuir est zébrée de boue et elle était tout essoufflée : elle a une musette, qu'elle porte bizarrement...

— Dans quelle chambre tu l'as mise ?

— Comme j'étais EN TRAIN de le DIRE (ceux de la numéro 6 regardent bouche bée), elle la porte contre sa poitrine...

— Les sangles ont peut-être pété ?

— Du coup elle était obligée de regarder par-dessus, par-dessus la musette, et avec les cheveux relevés comme ça elle fait encore plus grand ; elle a posé la musette par terre soigneusement, puis elle a demandé : "Vous auriez une chambre disponible ?" Je me suis tu, je l'ai examinée, puis j'ai pris le registre pour le feuilleter en faisant tout un sketch. » Fraternité attrape le menu du bar et fait semblant de tourner des pages. Il s'arrête aux desserts, me regarde par-dessus le menu. Il fixe des yeux la manche du blouson bon marché, pratique pour travailler, que j'ai acheté dans cette Coopérative Maritime sur la jetée de la Cale au Ferry, il y en avait deux pareils, même la couleur, *limpidité, pureté des premiers jours, mes vêtements neufs tout bourrus, l'incroyable atmosphère des chambres d'hôtel : monacales, quotidiennement prises d'assaut par le funeste chou-fleur et les perpétuelles pommes de terre de Chef Macbeth.*

Fraternité reprend : « J'ai sciemment gardé les yeux rivés sur la boue de sa manche de blouson en espérant que ça lui ferait perdre contenance, mais... elle est d'une autre trempe, celle-là. » Il ferme le menu d'un coup sec. « *"Combien* de personnes occuperaient la chambre ? — Une seule, elle répond. Et pour combien de *nuits* ? — J'en sais rien. Trois ?"* elle fait comme ça la mignonne créature.

— Trois ! Quel numéro tu lui as filé ?

— *"Nous. Sommes. Archi-complets. Plllleins !"* » Fraternité pose le menton sur le bar puis il se redresse de toute sa taille. « Elle m'a juste fixé du regard. Incroyable, parce qu'elle savait que je racontais des charres et ça l'enquiquinait de repartir à pied dans cette nuit noire. Et à ce moment-là, minutage impeccable, Chef Macbeth est arrivé, rentré à reculons coiffé de ce casque d'aviateur à la con qu'il a, le grand avion penché de côté et coincé sous son bras. Il a regardé droit vers moi par-dessus l'épaule de la fille, puis il s'est marré. » Fraternité baisse la voix : « Elle a *même* pas tourné la tête pour regarder Macbeth, s'est juste contentée de me toiser d'un sale œil à propos de cette histoire de piaule. Une seule idée en tête. Tout à fait mon genre de nénette. » (Le mot prononcé avec cette inflexion fausse des gens qui ont perdu l'accent du coin et qui tâchent de le reprendre.) Fraternité sourit : « Du coup voilà Chef Macbeth qui s'esclaffe tout fort dans le dos de la fille. C'est vraiment un abruti de nabot mais là on peut que s'incliner... lui rendre justice. Enfin bon il a dégagé en cuisines avec son joujou radioguidé. Je

me suis un peu penché vers elle, en respirant doucement par le nez mais j'ai pu déceler aucune odeur, ni
sueur, ni parfum, rien. J'ai lancé comme ça : "Je pourrais vous donner une chambre double", genre sourire
lubrique. "Ça serait *bien*", elle m'a sorti, la tronche
totalement impassible, en tâchant de dire ça de l'air le
moins sincère possible.

— Tu lui as filé la numéro 15.

— "Signez là", je lui fais. » Fraternité tire une fiche
à enregistrement de la poche de sa veste de soirée puis
il la glisse vers moi sur le dessus du bar. Je manque de
la toucher du bout des doigts mais j'évite exprès d'y
jeter un coup d'œil pour voir ce que je connais
d'avance : l'écriture à grosses boucles féminines sur
une fiche pareille à celle que Fraternité m'a fait remplir
pour rire le jour de mon arrivée. Fraternité garde les
yeux rivés sur mon visage, il espère saisir mon petit
vacillement d'yeux en direction de la fiche, il savoure
la perspective de me voir chercher le salut en cavalant
après je ne sais quelle jolie fille à petit trou de balle
bien propret qui débarque de nulle part.

« Tu trouves pas que c'est un joli nom ? » Fraternité
me nargue.

Je baisse les yeux et les coins de ma bouche se
retroussent au moment où mon regard se pose non pas
sur le nom, mais sur le numéro 15 écrit de la main de
Fraternité. Je relève la tête : le vide habituel, je masque
l'espoir auquel j'ai renoncé, sans me souvenir quand,
voilà tout ce que mon visage révèle.

« Je l'ai conduite dans le couloir.

— Tu la regardais ? » Je feins la curiosité, je tâche
de jouer notre petit jeu, je revendique ma place dans
l'univers de Fraternité de la même façon que j'ai réussi
à le faire un mois plus tôt quand j'ai entamé mon
enquête.

Tout de suite, il répond : « Non. Je marchais en tête,
évidemment ; je m'enfonçais à grands pas dans le noir
du couloir avant que les différents tronçons s'allument.

Une fois devant la chambre j'ai été particulièrement salaud vu que je suis resté à parler sans ouvrir la porte ni lui donner les clés que je tenais bien serrées au creux de la main tout ce temps-là.

— Qu'est-ce que tu racontais ?

— Le bourre-mou habituel... "Tout ce qu'il y a de respectable, mes tourtereaux, on les amène en avion ; j'en attends un d'une minute à l'autre, d'où la tenue ; sinon on est très relax ici, là-haut dans notre salon plutôt mignon", et maintenant, écoute bien ce que je vais te dire et cours vite faire ton rapport Sam Spade, tu peux m'accorder du mérite vu que j'ai dit... Ouh-là, on se tait. »

Voilà le jeune marié de la numéro 6 qui se lève et s'amène du fond du salon obscur en zigzaguant mollement entre les fauteuils et les tables rondes.

« Monsieur — Ouiiiii. » Fraternité exhibe les dents.

« Si on commande à manger maintenant ça va ? »

Je ne fais pas à ce mec la grâce de me tourner avec intérêt pour jeter un coup d'œil aux jambes gainées de bas beige de sa toute-jeune-mariée, le lycra qui renvoie le reflet des flammes orange du feu de bois. Tout ça je connais : tout est programmé d'avance. Après la balade de ce soir, bras dessus, bras dessous le long du dallage en ciment qui forme deux 8 dans la plantation de sapins, l'arrière de ces bas-là sera crépi des mollets jusqu'au derrière des genoux de petites mouches nettes de boue humide — même si c'est un soir de gel, les dalles sont tellement mal posées que la boue gicle d'en dessous quand on pose un pied sur chaque — ce mouchetis séchera dans le noir pendant que les deux bas traîneront en accordéon toute la nuit à côté du lit dans la numéro 6.

« Tenez », Fraternité lui tend le menu ouvert : « Comme soupe il y a du bouillon. Non... soupe aux poireaux. »

Le jeune marié retraverse les ténèbres pour retourner en lieu sûr dans la clarté de la cheminée à côté de sa jeune épousée. Ils se penchent tous les deux sur le menu.

Inutile de demander, je sais qu'il va reprendre.

Fraternité baisse la voix. « J'ai dit : "Oui, très relax là-haut dans le salon, grande flambée dans la cheminée", je lui ai dit : "Pas *totalement* relax quand même", ça l'a requinquée un brin, ça, "c'est-à-dire qu'on n'a strictement que des couples mariés ici alors rien de trop provocant." »

Je jappe copieusement de rire, sincèrement admiratif de ce qu'a fait Fraternité, et je pose les deux mains à plat sur le dessus du bar : « T'es trop génial, Fraternité, t'as vraiment assuré, vraiment, *vraiment* assuré !

— Attends, attends », il se balance un coup sur les talons : « Voilà ce qu'elle m'a sorti, en fixant d'un air furax les clés que je faisais cliqueter au creux de la main : "Tout ça c'est super intéressant, m'sieur — elle a prononcé m'sieur comme les gamins — mais j'ai pas tellement de fringues là, tout le reste a coulé en même temps que ce petit ferry de merde où j'ai manqué y passer. Mais soyez tranquille que si j'en avais, ça serait du tellement court, *teeeeellement court* qu'on me verrait la moitié des fesses. Venez jamais me dire à moi, ou à n'importe quelle autre nana quelles fringues il faut mettre... alors je peux les avoir mes clés ?"

— Elle a marché à fond. Dis voir, tu vas bientôt aux Endroits Éloignés avec la limousine ou je me trompe ?

— Mmmm, demain ? ! »

On se marre tous les deux bien fort. Je lance : « Tu passes devant chez Mini-Banquise...

— Devant la Meilleure Petite Coupe-Tifs du Coin...

— Tu rentres chez Horan la boutique de lingerie.

— Quelle taille elle fait ? » Fraternité hausse les épaules.

« Trente-six, les femmes dont je tombe amoureux font toujours du trente-six en chemisiers. »

Fraternité demande : « Et ta femme ?

— Ça c'était avant que je la quitte, mais elle a super

maigri depuis que je me suis barré. » Je souris d'un air frimeur, ma peine rien qu'à moitié estourbie sous le feu d'artifice des whiskies. « Et ensuite qu'est-ce qu'elle a dit ?

— Eh attends : moi je trouve que j'avais réussi une belle ouverture stratégique alors la balle était dans son camp à elle. Avec un petit sourire en coin je lui ai tendu les clés du bout des doigts, comme ça elles pendaient en se balançant alors elle a dû les décrocher au lieu de les rafler. "Faites comme chez vous..."

— Minute, minute... tu lui avais pas rendu sa musette ?...

— Du calme, Sam Spade, tu te figures pas que je m'amuse à porter le lance-roquettes de je ne sais quelle militante féministe : elle se l'est gardée tout du long — elle avait pas l'air de vouloir la lâcher de toute manière — alors je dis : "Faites comme chez vous, je vous vois tout à l'heure au salon : le dîner sera servi d'ici dix minutes." »

Je lâche : « Waouh, alors comme ça c'était la gentille infirmière Florence Nightingale à bord de notre dernier Titanic en date.

— Bien sûr, ouais, mais laisse-moi te finir ma partie de ping-pong. Elle, elle demande : "La téloche remarche ? — Oui, ça vient de se rétablir à la minute où vous êtes arrivée, vous avez apporté avec vous une marée d'éternelles foutaises." »

Je souris d'un air goguenard et je toque l'ongle à mon verre vide.

« À ce moment-là elle avait mis la clé dans la serrure, ouvert et passé la porte de la chambre, elle a tâtonné pour trouver le bouton de la lumière, elle a appuyé dessus du plat de la main et elle s'est rendu compte qu'y avait pas de téléviseur. Elle me regarde avec vraiment la haine, bandante à mort. "J'ai fait monter le téléviseur de cette chambre à mon père : il est gravement malade, grabataire vous comprenez." Et elle : "Je peux pas avoir une chambre avec la téloche... ?" La téloche, c'est

81

comme ça qu'elle dit. "Non, vous pouvez pas avoir de bon Dieu de T-loche", je réponds, et là j'ai envie de la coller contre la porte mais je dis : "Il y a deux postes dans le salon." Elle : *"Moi j'y* vais pas là-haut..." *Moi je* tel quel. "Que si, vous y viendrez", je réplique, "le radiateur marche pas dans cette chambre", et là je me penche en avant et je claque la porte derrière elle. »

J'ai le menton sur la poitrine de rire : « Demain première heure elle se barre, mec ! »

Fraternité tourne un regard pensif qui m'interloque. « Je crois pas, non ! »

Je lève mon verre et je l'agite en l'air : « Mets ça sur la note de la numéro 15. »

On se marre tous les deux et Fraternité réplique : « C'est ce que je vais faire, tu sais bien que je vais le faire ! », il me prend le gobelet des doigts et il me tourne le dos, je vois ses mains servir une bonne rasade de mûri-en-fût-de-chêne, sans se faire chier avec le doseur. Il se penche, sort le bac à glaçons, en jette trois dans un torchon à verres, plie le tissu en quatre et avec un maillet à picots, il broie la glace à coups brusques, secs. Du coup les jeunes mariés de la numéro 6 interrompent leur chuchotis pour de bon. Je souris au dos de la veste de soirée de Fraternité. *Je m'autorise un petit coup idiot et intime d'une bonne vieille guimauve qui doit être de l'affection pour ce type, dangereux et habile et qui fait en tout cas un ennemi de valeur, dans ce coin paumé aux confins du monde.*

Fraternité fait glisser les brisures de glace dans le gobelet qu'il abat sur le bar puis il me sort le traitement de faveur en versant lui-même de l'eau très froide de la carafe : la glace pilée affleure en cliquetant au ras du bord. Lui il traverse les ténèbres du Salon d'Observation pour aller prendre la commande des jeunes mariés. Quelques-uns des jeunes couples se pointent tranquille pour l'heure de la bouffe, fumasses comme d'habitude, contrariés de se retrouver en rade pendant quinze jours avec d'autres couples tellement pareils qu'eux : des couples qui ont beau parler de vacances, faire prudemment allusion à leur salaire, voiture de fonction et jour de noces, en fin de compte sont incapables de se différencier les uns des autres. Seule leur soumission servile à l'exigence acharnée du bonheur dans les liens du mariage limite les infidélités et orgies que Fraternité essaie d'orchestrer pour sa distraction personnelle.

Je repousse mon assiette, sans manger de dessert comme d'habitude. J'ai pris les scampi, en me disant que c'était plus sûr : la seule chose que Macbeth ait à faire c'est de les foutre à la friteuse. J'ai les doigts qui puent le citron quand je porte le dernier des cigares bon marché à ma bouche.

« L'avion d'ici un quart d'heure : je viens de lui causer par radio, les basses pressions s'amènent du coup il vient direct. » Fraternité s'éloigne de ma table et commence à enfiler son manteau en cachemire. Je me lève et je jette la serviette en papier dans l'assiette.

Mrs Heapie a fourré deux bouteilles de mauvais champe dans une glacière et quatre flûtes avec. Je vais jusqu'au bar. Chef Macbeth a encore son casque d'aviateur à la con sur la tête (je le soupçonne de le garder pour faire la cuisine).

On se rassemble au pied de l'escalier-spirale et Fraternité passe derrière le comptoir de réception pour régler le Polaroïd qu'il teste sur ses dernières victimes en date.

« Hé, t'as visé c'te super-canon-d'enfer de gonzesse ? » Macbeth postillonne.

Je souris.

« Bombardier Stuka en piqué, Nnniiiaaaaooon ! »

*

« La ferme. En route », Fraternité lance, et on sort tous par la porte principale en passant sous le ridicule porche imitation Mexique. Dehors dans le noir on se dirige vers les caravanes du personnel. Fraternité regarde tout de suite en l'air. Il y a des nuages bas mais le plafond reste correct.

« Je vais juste brancher mon chauffage », Macbeth va jusqu'à sa caravane. Je secoue la tête mais seulement quand Fraternité a les yeux sur moi. Il me reprend d'un de ces regards, puis il s'en va à grands pas vers l'appentis où la limousine qu'il a achetée à un Ricain de l'ancienne station de recherche rentre à peine. Je jette le mégot du cigare bon marché.

Chef Macbeth : ses jambes grêles, ses tatouages bleu acier aux bras, le casier judiciaire qu'il a laissé derrière lui dans deux villes, le fils qu'il n'a jamais vu... j'ai su tout ça sans avoir à lui tirer les vers du nez en sifflant des canettes de bière pas chère là-bas dans sa caravane. Ce type qui bricole avec son avion radioguidé pour passer le temps, le déchirant larmoyage qu'il a au fond du regard quand il travaille... son hébétude banale quand il est planté, pétrifié, le boîtier de contrôle à la main avec son antenne ridiculement longue, à faire tourner l'avion autour de lui. Risquer de devenir ce à quoi Fraternité a réduit ce type ! C'est peut-être pour ça que Macbeth se déplace avec le cran d'arrêt que j'ai entrevu dans son unique et sale veste habillée bleu marine qu'il porte quand on regarde les émissions comiques du samedi : rigoler en regardant les plus jolies des jeunes mariées... la plus proche parodie d'intimité qu'il puisse obtenir... des blagues qu'on ne partage pas mais auxquelles on se raccroche pour se serrer les coudes. En me postant près de lui (sans rigoler une seconde) j'ai réussi à glisser un œil dans la poche au couteau. J'imagine bien Macbeth en plein poignardage : la mine souffreteuse, si bien que du coup on a plutôt envie de sourire d'un air goguenard et de lui cracher à la gueule que de s'effondrer une fois frappé.

Fraternité tient Macbeth complètement sous sa coupe, il ne lui prête aucune des bagnoles pour aller à la disco du samedi soir à l'Extrême Bord, il lui fait miroiter la possibilité d'un nouveau contrat pour l'hiver suivant, une chambre d'hôtel comme bonus en remplacement de la caravane — invasions de perce-oreilles en période de pluies, fourmis et souris quand il fait chaud.

Fraternité jette la glacière dans la limousine, traverse avec les clés et va ouvrir les portes du garage. « Toi tu prends la Volvo. »

Je la démarre, je fais gueuler le moteur et je pousse la manette du chauffage jusqu'au rouge bien que ça souffle seulement du froid. Chef Macbeth surgit dans les pleins phares, se dirige mollo vers la mini-camionnette. Je regarde les feux arrière de la limousine qui cahotent en passant les profondes ornières circulaires du terre-plein. J'embraie et je suis, en tirant le levier vers la deuxième. Je freine au moment où Chef Macbeth vient se ranger juste derrière dans la camionnette, avec les phares qui font des ombres noires autour de moi dans l'habitacle.

Dans la lumière de mes pleins phares, Fraternité se gare, descend de la limousine avec les pans de son manteau ouvert qui battent. Il ouvre la barrière en escortant le vantail et il passe dans le pinceau de ses phares à lui. Même la barrière ouverte j'arrive à lire la pancarte en biais...

CHAMP D'AVIATION
ENTRÉE INTERDITE
ACCÈS PLAGE
PRENDRE À GAUCHE

La limousine démarre à fond. Je franchis la barrière. Macbeth se détache du rang par ma gauche, ses phares balaient l'herbe du terrain et font surgir la ceinture de sauvetage sur la jetée, éclairent au passage un jeune bouleau l'air grelottant au bord de la plage avec une petite branche d'où je remarque qu'il pend une touffe de varech.

Je suis les pinceaux des phares de la limousine qui effleurent le gazon en se dirigeant vers l'extrémité sud.

J'accélère et je passe la quatrième en longeant le bord de la piste... un mois qu'on n'a pas fait d'atterrissage nocturne en utilisant les phares des bagnoles : il n'y a plus de traces de pneus dans l'herbe. Je me penche vers le pare-brise, paupières plissées, en faisant gaffe à ne pas mordre ne serait-ce que sur les bords de la piste gazonnée. Arrivée à l'extrémité la limousine braque et traverse jusqu'à l'autre côté. Moi je me place pleins phares le nez face au delta de la rivière au-delà des buissons d'ajoncs. Je serre le frein à main et en laissant le moteur tourner je vais à pied jusqu'à la limousine, les mains dans les poches.

Fraternité a l'air interloqué quand je surgis dans le noir, juste planté là. Il sursaute, se penche et déverrouille la porte du passager.

« Putain, la trouille que tu m'as foutue toi, à me chier dans le benne !

— Tu dois pas avoir la conscience tranquille, à moins que ça soit tous les fantômes qui se baladent de ce côté de la piste qui te tracassent ?

— Tes fantômes, il réplique. Comment ça se passe le... » Là il s'interrompt pour retrousser la lèvre : « ... *travail* ? » Il garde les yeux rivés au-delà du pare-brise.

Prudemment, je réponds : « J'ai pas l'hélice d'Alpha Whisky : il me faut un plongeur pour descendre voir si elle serait pas là au bout de la piste. Y a des traces d'hélice sur une des ailes de Hotel Charlie, je peux calculer la vitesse des impacts grâce à l'espacement des entailles. Je peux déterminer toutes sortes de trucs grâce à l'hélice, l'angle précis des impacts, celui de l'inclinaison, l'état des moteurs...

— Le vrai petit expert légiste, hein ? Le jour où tu vas te tirer la poule de la numéro 15 je parie que tu seras capable de déterminer le groupe sanguin du dernier gusse qui aura trempé sa nouille là-dedans. »

Je souris : « C'est toujours là qu'on les trouve, les réponses, dans les carcasses. Les réponses sont *toujours* dans les carcasses, Fraternité. »

Pour je ne sais quelle raison, mais je me souviendrai clairement de ça, Fraternité murmure : « C'était peut-être un fantôme le dernier qui y a trempé sa nouille. » Puis il demande : « À ton avis, même si t'arrivais à sortir de la carcasse, tu serais capable de revenir à la nage d'aussi loin une nuit d'hiver dans un noir d'encre et ensuite de grimper jusqu'en haut d'une montagne ?...

— C'est ce qui s'est passé. Un trajet de nuit et ils se rentrent dedans... d'accord, c'est eux qui l'ont cherché à vouloir tenter un coup aussi fumant, mais de mon côté, en tant que professionnel, je dois comprendre exactement ce qui s'est passé. Je sais que ces avions volaient dans le même sens quand ils se sont amenés. Pourquoi est-ce qu'Alpha Whisky a percuté Hotel Charlie ?

— Mais personne en a rien à foutre de ces trucs qui se sont passés y a dix ans. Ça va pas ramener les types.

— C'est pas grave ça : d'établir clairement ce qui s'est passé ça redonne leur dignité à ces secondes de terreur atroces. Comme au mont Osutaka quand j'y suis allé avec les types de Boeing, y avait cinq cent vingt morts tout là-haut et on est arrivés sur place cinq heures après. La cloison arrière était défoncée et le capitaine, j'ai écouté la voix de ce type, il parlait en japonais mais quand même, j'écoutais les bruits de fond enregistrés par le micro du cockpit pendant que lui il se débattait pour garder le contrôle : il a maintenu l'avion en vol trente minutes, en se servant de ses moteurs et de ce qui lui restait de surfaces portantes pour naviguer. Comme il a pas réussi à passer par-dessus le mont Osutaka, y a eu aucun survivant. J'y suis allé là-bas, Fraternité : sapins cassés, ravins, aluminium broyé, lambeaux de pneus Dunlop dans les airs. Et les corps. Partout. Des victimes partout sur le lieu du crash et un truc que j'avais encore jamais vu : partout, des petits bouts de papier. Je me suis baissé pour en ramasser quelques-uns : sur tous, y avait les petites cabanes en bambou que ça dessine l'écriture japonaise, ça voletait au milieu de toute cette forêt en miettes et ces valises explosées et ces membres disloqués : des messages d'adieu. Ils avaient vécu trente minutes de terreur : mais enfin pourquoi Dieu va laisser les gens souffrir trente minutes pour juste mourir au bout du compte ? Et pourtant du fond de cette horreur glacée ils ont trouvé le temps de rédiger des mots d'adieu à ceux qu'ils aimaient. Même par-delà la mort tout ce qui compte c'est de confirmer ses sentiments et dire au revoir : quels poèmes pourraient valoir ces petits messages ?

— Ça y est, t'as *fini* ? Y a rien de plus répugnant à l'oreille qu'un petit couplet sentimental sur la mort. S'il avait pris feu, ton chiottard, les messages seraient tous partis voltiger en fumée dans les airs. Et ton chef-d'œuvre à toi ? Pas terminé. » Fraternité me regarde et hoche la tête.

Je réponds : « J'ai besoin de rassembler des preuves. Dans l'Expertise Aérienne on est affranchis des relations de cause à effet : on est des voyageurs du temps, obsédés par à peine quelques secondes, minutes au plus, du passé. Tout le reste devient secondaire et on vit et revit sans arrêt ces moments-là, jusqu'à ce qu'on fasse partie du truc sur lequel on enquête, qu'on sente qu'on a donné corps à ce fragment de temps auquel on n'a pas assisté... »

Fraternité renverse la tête en arrière et ricane. « Je te reconnais un mérite : t'es vraiment un cas.

— Tu connais personne qui accepte de remonter l'hélice à condition de la trouver ? » Je souris.

« Si, en fait ; enfin, bon, si y a vraiment que ça pour te faire plaisir et je crois que c'est le cas. Y a ce type qu'on appelle l'Argonaute. Il prend cher », Fraternité hausse un sourcil.

« Cette fille elle a dû nager jusqu'au rivage dans le noir avec la gamine Grainger en plus. » Je lui décoche un sourire.

« On devrait peut-être l'imbiber d'alcool et voir comment elle s'en sort sur notre île ?

— Peut-être qu'on devrait ? » je dis et Fraternité a l'air de se requinquer à cette idée, puis il fait signe de la tête en regardant par le pare-brise. J'ouvre la portière passager et je regagne la Volvo à pied dans le froid.

On dirait que le feu d'atterrissage est figé en l'air au-dessus du Chenal. De la peur, voilà tout ce que je ressens, la peur que j'ai toujours traînée quoi que je fasse ou dise, au fil des femmes, des déceptions amoureuses et des succès creux... la maladie tapie au fond de moi. Puis ç'a été la peur de finir par faire partie des projets de Fraternité et les premiers soupçons sur son intention de me remplacer par la nouvelle venue, cette fille de la 15.

Dès l'instant où elle a surgi sous ce firmament elle est devenue une menace pour moi, pour ma cause. Il n'a que trois nuits.

Je m'engouffre dans la voiture et je vois les phares de la limousine battre un pouls flemmard à mesure qu'il allume éteint allume. Je commence à faire des appels lumineux au pilote. En me retournant je vois les pleins phares de la camionnette tout au bout de la piste, les filtres rouge sang fixés aux deux ampoules qui indiquent où Macbeth est garé. L'avion survole la « baie », où la carcasse engloutie d'Alpha Whisky repose par deux cent soixante-dix mètres de fond à sept cents mètres du bout de la piste — mis à part les ailes qui, sous le choc, ont été propulsées jusque sur le replat à côté de la plantation où la carcasse de Hotel Charlie est tombée : tout ça récupéré par les fermiers du coin, au début pour la valeur macabre que ça représentait, et en fin de compte intégré dans les murs des cabanons et des granges.

Je vois le dessous des ailes du vol de nuit (un Cessna 172) qui surgissent à une centaine de pieds puis qui virent au-dessus du Chenal. Comme je le fais tout le temps à chaque trajet de nuit au terrain, je suis attentivement la manœuvre, en descendant la vitre et en m'imaginant cette nuit légendaire où deux hommes sont morts il y a dix ans de ça, la nuit qui a fini par prendre de l'ampleur et remplir toute ma vie des événements de ces quelques minutes dans le noir.

Je regarde les feux d'atterrissage croiser mollement le pinceau de la balise des Oyster Skerries puis le dessous de l'aile apparaît au moment où l'avion bascule pour le dernier virage en extérieur. Il se présente un peu haut un peu vite : la limousine décrit un grand arc de cercle, et ses codes éclairent l'intérieur de la Volvo. Elle accélère jusqu'à la piste sur la trace des feux de l'avion qui vient de se poser.

Je remonte en longeant le côté de la piste, vaguement respectueux du code d'aviation. Quand j'arrive à la hauteur de l'avion sur l'aire de stationnement son hélice s'est arrêtée. Je ralentis pour assister à la bouffonnerie habituelle : Fraternité imposant un verre de champe aux deux nouveaux couples (les mecs encore en kilts). Chef Macbeth est en train de charger des valises dans le coffre arrière de la limousine, « L'Auto d'Amour », comme doit l'appeler Fraternité.

J'embraie en première pour passer la barrière puis je gare la Volvo en marche arrière dans le garage. J'éteins le moteur et je balance les clés dans la boîte à gants.

La bagnole tinte et cliquette à petits bruits légers. Je souffle un coup puis je descends de voiture. Le moteur de l'avion démarre et je reste là, dissimulé dans l'ombre, puis je retourne peinard jusqu'à la barrière les mains dans les poches.

Fraternité a ramené la limousine tout au bout de la piste pour que le pilote distingue nettement où la bande gazonnée s'arrête. L'avion met les gaz et avance, avec les hautes herbes qui s'aplatissent derrière, et du coup on dirait que les brins blêmes, clairs, dégagent une faible phosphorescence dans son sillage.

L'avion cahote et tangue en s'engageant sur la piste, puis roule lentement jusqu'à l'extrémité où il tourne et se rassoit, nez en l'air. Il reste immobile, met les gaz pour vérifier les moteurs et entame le décollage.

Mes yeux accommodent : l'appareil a l'air de lever le nez, puis il quitte le sol. Il passe à quelque chose comme vingt mètres au-dessus. La limousine, en codes, arrive à toute vitesse de l'extrémité de la piste, suivie par la paire d'yeux rouge sang de la camionnette. Fraternité doit être dans la limousine, à faire hurler une des jeunes mariées en piquant droit sur l'avion qui vient de quitter le sol.

Les feux de l'avion continuent l'ascension au-dessus des Oyster Skerries. Je rebrousse chemin et je traverse le terre-plein en direction de la porte principale : éclairée par les phares vifs de la limousine, mon ombre se découpe nette et tranchée puis elle pivote et se ratatine sur le gravier plein de mousse. Les pneus grinchent en passant à côté de moi et la limousine blanche continue pour aller se garer devant la porte principale. Puis la lumière malsaine, rouge sang de la mini-camionnette de Chef Macbeth inonde le terre-plein, on dirait que la couleur dégouline le long des flancs des caravanes blanc sale du personnel.

Je reste immobile dans le noir, en faisant mine d'attendre Chef Macbeth. On entend des rires au moment où la portière de la limousine s'ouvre, les jeunes couples descendent, les femmes avec chacune un verre à la main, les hommes avec et leur verre et la bouteille de champe. Ils entrent dans le hall.

Au-delà des bonbonnes du radiateur à gaz de la caravane je commence à distinguer un mouvement animal vers l'endroit où s'arrête l'aile toute neuve qui abrite les chambres jusqu'au numéro 23 : bras dessus, bras dessous, qui décrivent des cercles au milieu de la plantation de sapins, au moins deux couples de jeunes mariés se baladent avant de repasser par les portes coulissantes de la terrasse qui borde leur chambre. Une envie pressante me vient d'anéantir leur tranquillité de je ne sais quelle manière mais comme j'entends Macbeth éteindre le moteur de la camionnette puis le châssis qui s'immobilise en s'ébrouant, j'avance d'un pas vif, avec presque un frisson à l'idée d'être invité dans sa caravane.

Je passe devant le coffre ouvert et j'entre par la porte principale. Fraternité est en train de terminer sa communication radio avec le pilote, les nouveaux couples à mi-hauteur de l'escalier-spirale. J'examine les jambes des femmes pendant qu'elles grimpent avec précaution. Fraternité m'adresse un regard venimeux qui signifie : Amène les bagages, pendant que lui inscrit rapidement les détails concernant l'arrivée et le départ de l'avion dans le Registre du Champ d'Aviation. Il quitte son manteau en cachemire et le jette sur une chaise puis il choisit quatre fiches d'enregistrement. Sans un mot je franchis les portes incendie et j'avance à grands pas dans la longue obscurité du couloir vers ma chambre. Les palpeurs économiques détectent ma présence et les plafonniers au néon se mettent en route, éclairent chaque tronçon puis s'éteignent derrière moi si bien que — pour Fraternité, planté devant les portes incendie du hall, qui suit des yeux mon départ en se rendant compte qu'une guerre vient de commencer — j'ai l'air de m'enfoncer dans une infinité de rectangles de lumière nette, bleutée.

Je passe la 15 sans un regard en coin, je glisse ma clé dans la 16 (la chambre qu'utilisait le pilote décomposé d'Alpha Whisky). J'ouvre la porte, allume la lumière et, au moment où j'entre, le couloir redevient d'un noir d'encre. La porte se referme derrière moi et je vais jusqu'au lecteur laser portable, je fais défiler la cassette du Quatrième Concerto pour Piano jusqu'à l'Andante Con Moto pour voir si j'arrive à soutirer encore un peu de mystère à cette daube cérémonieuse : tout le restant ressemble à de la musique de chasse à courre. Je me penche pour brancher la téloche et rembobiner les prises de vues de l'été avec la télécommande. J'éteins la lumière de la chambre, je m'étends sur le lit, et j'appuie sur PLAY.

La lumière gris pâle des images se met à sautiller dans la chambre.

La caméra est allumée avant la plongée. De l'eau ruisselle de l'objectif : l'image montre un homme sur le pont d'une barque en train de faire passer une torche sous-marine en direction de la caméra, c'est Shan, notre travailleur de fond lui-même, à bord du ferry d'été de l'hôtel, le *Charon*.

La caméra pivote, sans le faire exprès, et du coup on voit une brume basse au ras des herbages luxuriants qui recouvrent les pentes de la Cote 96 : j'arrive à distinguer le mélèze à côté duquel la fille a fait son apparition plus tôt dans la journée.

La caméra s'immerge dans l'eau de la « baie » au bout de la piste : des flots bleu limoneux qui dégénèrent en grisaille lugubre. Bulles et limon tournoient et remuent devant l'objectif, argentés sur le fond de lumière sous-marine qui se trouble et claircit tour à tour en contrebas. J'appuie sur la touche FF de la télécommande et je shunte la descente jusqu'au moment où le fond du Chenal s'esquisse, qu'on avance sur les bancs de sable tapissés d'une épaisse couche de limon... des poissons démersaux rôdent et filent dans tous les sens.

J'appuie sur PAUSE et je renvoie le lecteur laser au début de l'Andante puis je me rallonge avec la télécommande... PLAY... devant, quelque chose s'esquisse... surgissant lentement du monde gris-bleu apparaissent des contours verticaux de création intelligente : la dérive de l'avion et, posé bien à plat, le long fuselage sans ailes. *Avec cet air qu'ont toutes les créations humaines englouties... fantomatique et irréel, en déréliction.* Le faisceau de la torche qui fend l'eau grise : barnaches et incrustations adhèrent au fuselage en aluminium comme une poussée d'urticaire.

La caméra longe l'avion sans ailes jusqu'à la cabine plus large, le hublot de la porte latérale. L'angle change au moment où une main entre dans le champ, tire sur la porte pour essayer de l'ouvrir mais il faut trois bonnes secousses rapides pour que des paquets de boue se détachent et que dans un nuage de limon la porte finisse par pivoter. Le plongeur enfourne la torche qui colore tout en jaune à l'intérieur. Tout devient flou puis ça refait le point sur un grand homard cornu qui se balade dans le cockpit. *Le pare-brise est entièrement cassé. La jauge carburant est cassée mais ça a pu se produire au moment du choc. La radio et une partie du tableau de bord ont l'air cassées, mais c'est tombé derrière le tableau de bord... ces instruments autrefois bien ordonnés... c'est l'illustration de tout ce qui nous est hostile.*

La caméra recule, puis quelqu'un doit couper. On passe direct à l'avant émoussé de l'avion : moteur arraché, qui repose quelques mètres plus loin, mais sans hélice. J'appuie sur REW ◁ je passe FF ▷, PLAY ☐ : le montage du moteur surgit en gros plan et pendant que c'est net, PAUSE ☐☐ : l'arbre d'hélice a l'air déchiqueté.

Réflexions :
1. Hélice désintégrée au moment du choc, débris non récupérables.
2. Hélice endommagée sous l'eau.
3. Même inutilisable pour construction granges, hélice récupérée sur replat lieu du crash par personne inconnue.

On coupe à nouveau puis on reprend. Une torche a été installée à l'intérieur du cockpit. La caméra commence à filmer haut sur l'empennage et j'arrive à discerner les lettres du matricule qui se terminent par A W au travers de la bourre noire que forme la végétation sous-marine. La prise longe le flanc de l'avion, un bras hors champ ouvre la portière du cockpit avec la torche dorée qui illumine de l'intérieur. *Très* artistique.

On passe ensuite à une prise du train d'atterrissage avant, arraché, des filaments de limon attachés au pneu s'étirent en lignes parallèles dans le courant, le fuselage au loin et au-dessus de tout ça, les rais de lumière qui tombent avec une mélancolie de cathédrale sur cet univers sépulcre d'espace clos.

Il a dû sortir par le pare-brise pété...

Ça se met à violemment tambouriner après ma porte du coup je me dresse d'un bond puis je me fige. Je me jette sur la carpette, je me lève et je coupe le Rondo Vivace. Je m'en veux à fond parce qu'en allant répondre à la porte je suis mort de trouille. *Voilà à quoi il m'a réduit.* Je m'arrête, me retourne et je mets le magnétoscope sur PAUSE ❒❒. Le fracas ébranle à nouveau la porte. J'y vais et je tire.

« La chaîne à fond pendant que j'essaie de dormir, d'accord, mais c'est moi qui choisis la zique — ça roule ? » elle brandit un disque brillant qui chope et renvoie la bande du plafonnier néon au-dessus d'elle dans le couloir. Je me rends compte que c'est un CD. Elle porte une grande chemise de mec et elle a les jambes nues. Elle s'est lavé les cheveux et ça les change de forme. Jusque-là je l'ai seulement vue dans le noir, de loin. Et voilà que maintenant une nostalgie que je croyais avoir vaincue depuis des années claque à l'intérieur de moi, comme une toile qui se gonflerait sur une plage immense.

« C'est Beethoven. J'ai horreur mais c'est la seule cassette qu'y ait dans le coin à part celle que Fraternité passe dans le salon. Tu sais comment ça s'appelle ce truc ? »

Elle me regarde. Plus tard elle prétendra que ses yeux étaient bleu foncé mais le soir où elle a frappé à ma porte mes notes indiquent qu'ils étaient d'un noir tout ce qu'il y a de sombre (ça fait toujours marrer Fraternité : lui il affirme qu'elle avait les yeux vert foncé).

Je lance : « Collection Émotion. Je suis pas sûr que le lecteur de CD marche : y en a pas de CD, à moins qu'il en ait quelques-uns de planqués avec tous ses disques de Bob Dylan », je ne sais pas si oui ou non je dois reculer à l'intérieur de ma chambre et essayer le

CD : j'ai peur qu'elle s'en aille. Elle se déporte un peu pour regarder au-delà de mon épaule.

« Hé ! t'as un magnétoscope.

— Il me l'a filé pour bosser.

— Qu'est-ce t'as comme vidéos ?

— Ah ! c'est que j'en ai pas.

— Quoi ? !

— Pas une, j'ai pas de vidéos.

— Et ça c'est quoi ?

— C'est un avion englouti.

— Un avion englouti. Alors toi, Ludwig, tu sais prendre ton pied, on peut le dire.

— Tu veux regarder ? » Je hausse les épaules, puis à mon grand plaisir je me retrouve en train de rigoler.

« C'est ton boulot ça hein ? T'enquêtes sur les crashes d'avions.

— Je suis fonctionnaire », je hausse les épaules : « Comment tu le sais ? »

Elle se passe l'index sous le bout du nez. Sur l'ongle on voit des restes de vernis. Elle soupire et dit : « Pas grand-chose d'autre à se mettre sous la dent », et elle entre dans la chambre. Elle s'assoit sur le lit pas fait (je refuse l'accès à Mrs Heapie si bien que la jeune femme est la première personne à y mettre les pieds) en tâtant le bout du matelas.

Je ramasse la télécommande et je me sens un peu bête : à mesure que ça rembobine on voit la caméra qui regrimpe dare-dare vers la surface le long du câble de l'ancre.

Je remets la bande en marche. Elle regarde sans rien dire. Je fixe l'écran des yeux. Au moment où je passe gauchement devant elle pour aller vers la platine CD elle écarte légèrement la tête pour voir au-delà de ma jambe. Le CD tourne à toute vitesse quand je le pose puis la musique commence.

« Ah super », elle fait et elle chante la partie du refrain. « Il se trouve où cet avion ? Ça doit être méchamment d'enfer, je suis sûre.

— Il est là, au bout du terrain d'aviation face à la chapelle en ruine. Le mec qui était dedans est mort.

— Ah ouais ?

— Ouais, je fais. Ils se sont cartonnés avec un autre avion en survolant le champ d'aviation de nuit alors que c'est pas autorisé. Y a pas de balises d'atterrissage sur cette piste. C'était tous les deux des pilotes expérimentés, ils devaient le savoir. Ils ont dîné dans le Salon d'Observation : un peu de vin, un verre de cognac, des copines à épater, du coup ils se sont défiés l'un l'autre. L'avion qui volait en tête, il est tombé dans le champ que t'as traversé aujourd'hui, et celui-là dans la mer. On a jamais retrouvé le corps, du coup les recherches ont été abandonnées : et bizarrement, des mois plus tard, on a retrouvé le mec tout là-haut à flanc de montagne, là aussi tu y es passée vers l'endroit où on a retrouvé son corps.

— Il était tombé là d'en haut ?

— Non, ça c'est impossible ; c'est de froid qu'il est mort. C'était par temps d'hiver comme aujourd'hui qu'ils se sont écrasés : il a dû sortir on sait pas trop comment de la carcasse et nager jusqu'à la plage. Il devait être salement choqué et déboussolé. Il aurait pu venir à pied jusqu'ici. C'était sa chambre d'hôtel, ça : il aurait mis dix minutes à y arriver, mais il a grimpé direct par la pente et il a dû mourir là-haut. Il a passé trois clôtures barbelées. Il devait se croire de l'autre côté du Chenal, un truc dans le genre ou Dieu sait quoi. Moi ça fait dix ans que je tâche de comprendre : c'est terrible de se sortir d'un merdier comme ça », je montre l'écran du doigt : « Pour aller mourir de froid en haut d'une montagne. »

Elle tasse les épaules. « C'était sa chambre ici ? » Elle tourne la tête et me regarde.

Je fais oui de la tête. « Tu veux voir une photo de lui ?

— Une photo de lui... quoi, après, une fois qu'il avait renagé jusqu'à la plage et grimpé là-haut ?

— Oui.

— Une photo de son cadavre décomposé, c'est ça ?

— J'ai tous les clichés de police si ça t'intéresse, vu que tu te fais chier tout ça. »

Elle s'agite un peu sur le lit, puis d'un ton différent, plus clair, provoc : « Fais voir. »

J'ouvre le tiroir, je sors l'enveloppe, usée par le frottement des doigts, la laisse tomber sur le lit à côté d'elle. Elle en fait glisser les clichés et je suis content de voir que c'est le pire qui est sur le dessus, celui où la chemise déboutonnée montre le trou sombre à l'intérieur, dans la cage thoracique. Elle le fait glisser et le passe au-dessous de la pile puis elle feuillette les autres.

« Corneilles mantelées », je souris.

Elle fait oui de la tête puis tout à coup elle brandit celui des orbites noires style tête de mort et pointe le doigt vers le type agenouillé à côté, avec les cheveux plus longs : Fraternité... Elle grimace.

« Le pilote est resté là cinq mois, des randonneurs l'ont découvert. Fraternité y est monté pendant des vacances avant de revenir pour diriger cet hôtel.

— Je vais te dire ce que moi je crois. Remets un coup de CD. Mon avion à moi tombe dans la nuit noire, d'accord ?

— Bon.

— Je me démerde pour en sortir et dans le total noir d'encre j'arrive à nager jusqu'à la plage.

— T'es sacrément bonne. »

Elle me fronce au nez son front très lisse. « Les nouvelles vont vite dans cette île. »

Je laisse tomber les épaules.

« Une fois sortie du bain — et c'est dur de savoir dans quel sens nager vers la côte en pleine nuit à moins de repérer une lumière quelconque, des phares sur une route par exemple — mais à ce moment-là, *pourquoi* est-ce qu'il a traversé la route ? »

Je lui souris.

« Donc, moi j'ai vu ces balises qui tournent là-bas

dans les rochers et je suis sûre que lui les a vues aussi, si elles étaient déjà installées y a dix ans ?

— Elles y étaient, oui.

— Alors il a le bon réflexe de se fier à ça pour nager direction la côte. Il savait pile où il se trouvait. C'est maintenant que ça devient intéressant. Quand on arrive à la côte dans un noir pareil, et moi je l'ai fait, on se dit dans sa tête qu'on revient d'entre les morts. T'as lu *Chris Martin** ?

— Oui.

— On se sent tout chose. Moi j'avais ramené une espèce de petite gosse débile. Ça m'est venu à l'idée que si elle avait pas été avec moi j'aurais été libre. Libre de disparaître. C'est une impression pas croyable. Ton type il était revenu d'entre les morts. Son avion s'en était cartonné un autre et il était tombé à la mer. En ressortant sur les cailloux de la plage il a eu envie de s'en servir de ce pouvoir. Ce choix qu'il avait d'être mort, d'être un fantôme, de s'échapper je sais pas comment de l'île, se refaire une nouvelle vie : du coup comme ça bille en tête il monte à grands pas dans la montagne...

— Vingt minutes après l'accident les battues à la torche ont commencé dans les montagnes... ! je lance d'un ton vif.

— Bon, bon, alors il reste planqué là-haut, en tâchant toujours de se décider à sauter le pas. À disparaître. Il a une famille, des gens qu'il s'est persuadé qu'il aimait. Il pilote, donc il a du fric, donc c'est un enfoiré, non ?

— Ben... c'est pas parce que...

— Toi aussi tu sais piloter, hein ? Sûrement puisque t'enquêtes...

— Ah bon. En fait je sais pas. Je sais pas piloter, je fais plutôt dans la mécanique. Fraternité pilote, lui.

— Gagné. Donc ce type a baraque, bagnole, femme, famille, maîtresse, tout le merdier habituel, et il se la joue petit garçon dans le beau navion. Et voilà que là-haut il se trouve placé devant la première vraie décision de sa vie. Choisir lui-même pour la première fois ou alors... il aperçoit les torches à cette heure, tout ce qu'il lui suffit de faire c'est de redescendre à l'hôtel. Il frissonne maintenant. Ça pèle, ça pèle à mort là-haut, il voit la lumière qui le rappelle vers le monde mais c'est un monde de mensonges. De mensonges. »

Je dis, à voix basse : « Il a choisi lui-même mais la mort.

— Ouais, juste. Allez un petit coup de téloche ? »

Je m'avance avec la télécommande mais à mesure que je fais défiler d'une chaîne à l'autre on ne voit qu'un tourbillon de points blancs sur chaque.

La fille lance : « Oh noooon ! J'y crois pas, c'est de nouveau nase !

— L'antenne déconne toujours quand il fait ce temps-là.

— Ouais. J'ai rencontré les mecs qui réparent, y en avait quelques-uns sur le petit ferry qu'a coulé, ah l'équipe : tu les colles dans un tonneau de nichons ils ressortent en suçant leur pouce. »

Je dis comme ça : « Au fait, ce pilote, celui qui a pourri dans la montagne là-haut, celui-là il est enterré dans le cimetière qu'y a là-bas vers l'embouchure de la rivière.

— Ah bon. C'est quoi son nom ?

— Carlton. William Carlton.

— Bon. Y a peut-être moyen de t'emprunter ton gros magnéto que t'as là. Mon Walkman il a calanché pendant mon petit naufrage.

— Alors fais-moi plaisir en échange », je dis et je la vois qui s'applique à garder la tête immobile mais elle a vu la porte à peine entrebâillée sur la terrasse là où le coin du voilage empesé qui rebique est un peu tiré.

« Quoi ?

— Tu passes tes trois nuits ici. Tu t'en mets plein les yeux de ce cirque et tu tâches de pas tomber dans les manigances de Fraternité — peu importe comment

100

t'aimes prendre ton pied — et ensuite tu dégages ton petit cul d'écolière loin d'ici et t'y reviens plus jamais. »

Elle continue de me fixer du regard puis elle lance, vite : « Et moi qui te croyais du côté des gentils. *Pourquoi* je devrais faire ça ?

— Tu serais mieux ailleurs.

— Des menaces ?

— Tu sais très bien. »

Elle se marre mais ça sonne faux. « Tu commences sérieux à m'intéresser, Monsieur Le Fonctionnaire.

— Te fous pas de ma gueule, Kylie Minogue. Ça joue pas dans ta catégorie à l'hôtel Drome. »

Elle se lève et va vers la porte. « Alors ça tient ce marché ?

— Pour trois nuits aussi fort que je veux mais avec ton CD.

— Trois nuits... pour commencer », elle dit et mordicus elle s'abstient de jeter un seul regard en arrière.

Je me déshabille et je grimpe dans le lit. Je laisse le CD en marche : c'est je ne sais quel groupe avec un son do jeunes, en train de geindre avec un sacré enthousiasme. Ces jeunes pessimistes : quelle blague... ça gémit à longueur de journée sur la noirceur de l'univers puis ça picole toute la nuit mais à six heures du mat' il y a gros à parier que leurs petits trous du cul encore bien serrés iront pas chier le moindre ulcère. Ils veulent tout, même le droit d'être pessimistes : pas moyen de leur faire admettre que c'est un plaisir qui nous est réservé à nous, trentenaires et plus.

Je remonte le drap autour de moi en tenant les bords comme s'il y avait une autre personne dans le lit avec moi. Je pense à l'unique rêve que j'aimerais m'offrir : des cigares... des havanes... le Vrai Truc. Je prends plaisir du fond de ma somnolence avec cette prédilection pour le simplisme qu'on trouve chez tous les damnés.

Dimanche Quinze

D'après mes notes de la journée :

8 h 00 du matin. L'hélicoptère de cet alcoolo abruti par la défonce survole la piste avec un gros grizzly qui pendouille en dessous dans un filet.

Selles : chiasseuses/vertes. En tout cas pas la moindre trace noire de sang causée par — mettons — une fissure anale.

L'après-midi il faut que j'aille à pied jusqu'à l'Enclos de ce vieux connard de Gibbon pour lui échanger la portière de cabine gauche de Hotel Charlie. Il n'y a pas trace de la Nouvelle dans les parages de l'hôtel.

Une brume comme de la fumée colle ferme au pied des pentes de la Cote 96 au-dessus de moi. De l'autre côté du Chenal la ligne de vapeur déchiquetée, en dents de scie, suit le tracé du massif. Je remonte la capuche du blouson de travail puis je pique un petit trot vers la plage où j'enfile du galet jusqu'au moment où j'ai couvert toute la distance sur laquelle je pouvais longer les rochers. Je regrimpe sur le bas-côté de la Grande Route. Avec la capuche, mon champ visuel arrière a été obstrué tellement longtemps qu'au moment où je finis par tourner la tête, choc : la vue que je croyais si bien connaître me paraît tout à coup étrangère, comme si je la découvrais pour la première fois. Comme si toutes ces fois que j'ai passé à arpenter les dimensions de chaque centimètre de piste n'étaient que de simples répétitions.

Les seize cents mètres de plage jusqu'au delta au-delà du cimetière, le flux lent des marées du Chenal, l'hôtel, ses dépendances, le hangar à bateaux où je reconstruis les deux avions maudits, les croix celtiques de la chapelle en ruine au milieu de la plantation de sapins près du champ d'aviation : tout ça constitue mon univers et mon avenir. Pourtant ma connaissance de ces dimensions, chaque pouce de terre sous mes propres pieds... cette certitude a disparu pendant un instant déroutant, et tout aussi vite ça m'a sauté aux yeux et j'ai reconnu cette terre que je regarde. Je fronce les sourcils et je reprends mon chemin.

Mr et Mrs Heapie passent dans leur Austin antique alors je hoche la tête à contrecœur. Joe-le-Mineur passe dans son ancien Bedford de l'armée alors je fais signe de la main.

Le blouson est alourdi par la bruine quand j'arrive au long chemin de terre troué de flaques qui mène à la ferme de Gibbon. Le vieux est en train de bosser juste-ment dans la grange avec un bouffon : le Raiguiseur. J'avance jusqu'à la paroi du côté : les parties basses de la drôle d'étable sont construites en grosses traverses de voie ferrée, ce qui est insolite en soi parce qu'il n'y a pas la moindre voie ferrée sur l'île, mis à part le truc miniature qui traverse le zoo militaire. Du contre-plaqué pas cher a été cloué entre les traverses si bien que main-tenant à force de jouer et de vriller des jours se sont formés entre les plaques. Gibbon se réjouissait d'avoir trouvé un moyen économique de se procurer un peu de produit imperméabilisant pour enduire les plaques. Il était trop radin pour acheter de la peinture, Gibbon, alors quand l'usine de gâteaux des Endroits Éloignés a coulé, lui il a rapporté de la vente aux enchères des dizaines de litres de colorant alimentaire à la framboise. À son grand étonnement, le produit était complètement imperméable : les parties basses de la grange n'ont pas tardé à virer au rose strident : rose framboise. Comme peinture, ça s'est révélé assez costaud mais le coup fatal pour la grange c'est quand les vaches de Gibbon ont quitté les prés pour s'aventurer dans la cour et se sont mises à lécher les parois. Non seulement elles ont enlevé tout le colorant sur une hauteur d'un mètre cinquante tout le tour du bâtiment, mais à force de subir en permanence coups de langue et bousculades de la part des vaches des morceaux de parois se sont retrouvés bousillés et Gibbon a dû installer une clôture autour de la grange pour la sauver de la destruction.

Je traverse la cour gadouilleuse. La partie haute de l'édifice, où est intégrée la portière de cabine de Hotel Charlie, est un bric-à-brac de ferraille rouillée, parois latérales de caravane, plastique de serre, plaques de métal et de plexi transparent non identifiables et même un vieux panneau routier de l'île, si bien qu'une grande portion de mur annonce :

Endroits Éloignés

« Salut », je braille. L'entrée est de l'autre côté de la grange alors j'appelle avant de faire le tour.

Les deux types, penchés sur la moto que Raiguiseur utilise pour entraîner la meule en pierre avec je ne sais quelle espèce de système à courroie, se retournent tout

104

à coup d'un bloc — ce qui me surprend étant donné que la bécane doit faire un méchant vacarme à l'intérieur de la grange. Le Raiguiseur a tout une série de coupe-choux et de faux étalés devant lui. Les deux types se regardent puis le Raiguiseur tend le bras et coupe le moteur de la moto.

Je me retrouve planté dehors — pile à l'opposé de l'endroit où la portière de Hotel Charlie est encastrée au-dessus de la rangée de traverses et de contre-plaqué léché : des bouts de ferraille tordue s'élèvent jusqu'au plafond comme une sphère armillaire dans une casse auto.

Gibbon traverse pour me rejoindre, ce qui me signifie en fait une non-invitation à entrer dans la grange. Curieusement, on se retrouve chacun d'un côté de la portière de Hotel Charlie alors Gibbon tend le bras et abaisse le plexiglas qui sert maintenant de carreau.

« Holà-holà, comment va ?

— J'apporte les papiers d'indemnisation. » Je déplie un des formulaires que j'ai photocopié avec la machine qu'il y a derrière la réception au Drome. Je le tends par la vitre ouverte de la portière d'avion.

Gibbon retire les lunettes cassées de la poche de son bleu et les chausse. Le Raiguiseur s'amène à grands pas dans son dos et entame la rengaine : « C'est de la légitime récup ça, des débris autorisés, t'as intérêt à demander un bon prix...

— C'est à lui de dire un prix, je coupe d'un ton sec.

— Bon alors attends voir, mmmm, l'été dernier j'ai perdu une Suffolk, une belle bête que les asticots m'ont bouffée : elle s'est cassé une corne, les asticots se sont mis dedans rapport aux mouches et ils y ont bouffé la cervelle. Je vais demander de quoi rentrer dans ma perte : mille six cents. »

Je suis bien obligé de sourire. Gibbon s'éloigne peinard, le formulaire d'indemnisation déplié dans ses grosses paluches, et se dirige vers la collection de faux et d'outils étalés par terre sur des draps.

« Comment on va la descendre ? » je demande.

Gibbon lève les yeux vers la portière d'avion au milieu de l'assemblage de débris : « Ben pardi tu tires, mon gars, elle descendra bien. »

J'attrape la poignée brillante de la portière et je tire : le morceau de mur fait ventre. Je plaque la main contre la portion en panneau routier sur la gauche et je m'aperçois que les parties métalliques ont été soudées par endroits et grossièrement rivetées, et que la plupart des trous autour des rivets sont rouillés avec des vilaines taches dégoulinantes qui débordent vers le bas.

« Mille six cents ! » Le Raiguiseur a le regard braqué entre Gibbon et moi. « Ton ministère il va verser ça ! Mec, je vais te les trouver, moi, tes bouts d'avions. » Il saute après la vitre de la portière d'avion et s'accroche : le mur entier fléchit en dedans puis en dehors sous son poids. Le Raiguiseur bave carrément en me regardant.

Je demande à mi-voix : « T'as déjà entendu parler d'une hélice ? Je me demande combien le ministère verserait pour une hélice ?

— Une hélice ? Une hélice ! Ouaiais, je crois que je peux t'en trouver une...

— Ah, mais c'est qu'y faut que ça soit la *bonne*. »

Gibbon est en train de brailler : « Hé, lâche-moi cette porte ou tu vas faire effondrer tout le bastringue...

— Une hélice... quelques mille... » Les yeux du Raiguiseur roulent dans leurs orbites et il lève la tête vers le plafond. La porte ripe et le poids du gusse pendu après l'arrache d'un coup si bien que lui, il trébuche en avant et les traverses de voie ferrée le renvoient en arrière. Je le vois se pencher, faire une cabriole de côté : le mur entier grince puis se met à frémir. J'empoigne la porte par le gond à l'endroit où elle s'est rabattue sous le poids du Raiguiseur, je la soulève à bout de bras et je m'éloigne à reculons de la construction pendant que d'autres morceaux commencent à pleuvoir — quelque chose qui ressemble à la coque en alu d'une barge, un autre panneau routier, une tête de lit : tout ça tombe pêle-mêle.

Je m'éloigne du désastre en zigzaguant pendant que des morceaux du plafond s'effondrent. La portière de cabine gauche de Hotel Charlie coincée tant bien que mal sous le bras je me magne de reprendre le chemin plein de nids-de-poule. Je la passe par-dessus une barrière, que j'enjambe ensuite à mon tour, puis je reprends la portière et je taille un raccourci en coupant par le bas des pentes pour contourner la Cote 96 par l'arrière, en évitant le camp de l'Avocat du Diable.

Je me rends compte que la portière est pénible à transporter dans les côtes. Assez vite j'abaisse la vitre et je passe la tête par l'ouverture en soutenant la porte à deux mains autour de mon cou, comme une collerette. Le soleil cogne à mort à travers la brume, flambant comme un collier de feu autour de ma tête sur l'aluminium à nu aux endroits où la peinture bleue et blanche est décapée ou écaillée.

Je grimpe et je descends les pentes, en faisant gaffe sur l'herbe que des semaines de pluie ont réduite à l'état de glèbe visqueuse dans certaines parties abritées.

Un bref soleil pointe quand je plonge dans les nuages argentés d'une averse au pied du camp de l'Avocat du Diable. Je sais que les traits de soleil qui continuent leur course le long des flancs de montagne doivent ricocher sur l'aluminium brut de la portière, balancer de méchants éclairs au type là-haut dans son campement pendant que je tâche de régulariser l'allure en traversant les terres. Je fais une pause à un moment donné, à la fois pour lever la tête en direction du mélèze où on a découvert Carlton et pour signifier à l'Avocat du Diable que je le mets au défi de descendre jusqu'à l'hôtel pour combattre selon mes conditions.

Je vais déposer la portière du cockpit de Hotel Charlie dans le hangar à bateaux. Sous l'unique ampoule nue j'avance sur les pavés bombés du sol, je pose la portière en appui contre le fuselage courbe de l'avion : les ailes brisées reposent sur des caisses de bière de l'hôtel, de façon à être pile au niveau du haut de la cabine où le pilote a été tué, la cage thoracique enfoncée par la décélération énorme et le choc du moteur qui lui a sectionné les deux pieds en transperçant le tableau de bord. J'ai vu les photos de ce cadavre-là aussi, la région du visage complètement écrabouillée.

Le fuselage est trop tordu pour permettre de réinstaller la portière dans son cadre d'origine. Je reste planté un moment dans l'espace que j'ai dégagé pour installer la carcasse d'Alpha Whisky, les pavés noirs balayés par mes soins une fois que Fraternité m'a alloué le hangar à bateaux. Chacun des pavés noirs bombés sur lesquels je marche est une bouteille de champagne coulée tête en bas dans le béton par Fraternité en personne dans les années soixante-dix, avant qu'il se lasse de faire du bateau.

Je regagne ma chambre pour me laver et me changer. Je n'entends aucun bruit venant de la salle de bains de la 15 pendant que je m'asperge le visage d'eau et que je pense à Carlton en train de s'engouffrer dans le noir sous les flots du Chenal et à la peur qu'il a dû éprouver.

J'aime bien arriver tôt pour le dîner histoire d'afficher les liens que j'entretiens avec notre famille régnante. Je grimpe quatre à quatre l'escalier-spirale : Fraternité, Macbeth (en veste-pantalon blancs de cuistot !) et Mrs Heapie sont tous là et tournent la tête vers moi. Le temps que je les rejoigne tranquille ma gorge se serre, comme quand je regarde les films les plus tristes : je vois la lumière des petites lampes qui éclaire le bar, l'enfilade de chaises et tables qui plonge dans l'obscurité puis qui émerge contre le reflet patiné du linteau en cuivre, le feu de bois qui lance quelques ombres brouillonnes jusqu'en haut à la jonction du métal avec le plafond en lambris sapin. Le linteau représente un bateau de l'Armada en train de couler, les mâts dangereusement inclinés. *Je n'ai plus que ça comme toit.*

« Voilà Mad Max », il lance Fraternité du coup les autres ont un petit sourire narquois. La mère Heapie en est à son troisième café gratis, je dirais, et sa troisième cigarette, un coude dodu pendant le long du corps.

« L'autre nénette de la 15 : pas moyen de rentrer dans la chambre de la journée vu qu'elle dormait ! Moi je marche pas comme ça, elle a qu'à faire son lit elle-même. » Heapie grommelle en soufflant sa fumée, puis elle se requinque en regardant dehors, dans la nuit quasi tombée : « Tiens regardez ça, voilà Shan qui s'amène. Qui c'est donc qui peut bien traverser ?

— Comme d'hab ? » il demande Fraternité sans un sourire.

Je fais oui de la tête et il sert un petit Linkwood avant de lâcher dedans un seul glaçon à moitié fondu. Il pose ça devant moi et l'espace d'une seconde je me dis qu'il va me demander de payer.

« Je mets ça sur le compte de la 16 », il annonce.

Mrs Heapie est allée se poster devant la fenêtre panoramique d'où elle regarde les lumières du *Charon* qui se range contre la jetée et s'amarre. Deux silhouettes en anorak escaladent l'échelle qui débouche sur le quai. Je bâille. Les jeunes randonneurs ne traversent pas le champ d'aviation, ce qui signifie qu'ils ne sont pas du coin. J'entends Mrs Heapie qui souffle sa fumée là-bas contre la grande baie vitrée.

« Tiens, voilà Shan qui s'en retourne de nouveau ! » elle annonce. Comme pour lui obéir, la vedette démarre et fait machine arrière.

Incapable de supporter une minute de plus les Commentaires Universels de Heapie, je me lève, m'étire et je vais m'asseoir à la table pour un la plus éloignée. Fraternité m'adresse un sourire cruel. Je souris en retour, hoche la tête. *Te voilà planté là à tripoter une serviette en papier, prêt à brancher la Collection Émotion pour accueillir les premiers couples qui arri-*

vent, mais je sais que tu n'attends que son apparition à elle : j'espère qu'elle va faire le poids face à toi, j'espère qu'elle a la trempe, sa seule défense pourrait être sa vertu. Si toutefois elle en a.

Les couples commencent à converger en direction du Salon d'Observation. Mrs Heapie assure le service en jupe écossaise, Fraternité s'active derrière le bar et passe les plats qui arrivent par le monte-charge de la cuisine.

Mrs Heapie essaie de m'en imposer en s'arrêtant à ma table avant de m'apporter les couverts. Je riposte : « Apportez-moi un Rémy Martin, du spécial, avec de la glace pilée et de l'eau minérale.

— Qu'est-ce que vous mangez ? elle fait d'un ton sec.

— Je n'ai pas encore décidé... Mrs Heapie. »

Vaincue elle s'éloigne. Je soupire. *Je me sens jubilant, à deux doigts d'une victoire, comme quand j'avais vingt-cinq ans.*

Fraternité traverse pour m'apporter mon verre : « Bonsoir.

— Comment tu te portes, vieux ! » en lui collant une grande claque juste au-dessus des fesses. Il ne sait pas quoi répondre, l'imbécile, alors je lance : « Embarquons-nous sur l'océan des rêves.

— Allons-y », il hoche la tête.

Je lui décoche un clin d'œil et, en feignant la nonchalance, il s'éloigne à grandes enjambées.

Je m'enfile de bonnes goulées de mon cognac, et je reconnais même un des couples arrivés hier soir. J'ai appris par les monologues de Heapie qu'ils occupent soit la chambre 12 soit la 11.

Heapie revient : « Alors, décidé ?

— Je vais prendre la soupe, de toute façon.

— C'est de la bisque de homard », elle se penche, horriblement près, ses seins énormes qui touchent presque la nappe, et murmure : « En boîte.

— Laissez tomber la soupe », je pense au monstre dans le cockpit de l'avion au fond de la mer. « Qu'est-ce qu'il y a d'autre ? »

Elle se redresse comme si elle s'apprêtait à me cracher un méga-glaviot dessus.

« Melon. Crevettes.

— Melon, je vais prendre ça. Qu'est-ce qu'il y a comme plat principal, enfin quoi si au moins vous m'apportiez un menu, *merde* ! » je crie. Les couples de jeunes mariés tournent tous la tête.

« Entrecôte, tourte aux légumes. Poisson.

— Apportez-moi une entrecôte, super cuite, empêchez Macbeth de pisser dessus, et venez reprendre mon assiette quand j'aurai terminé. Je prendrai un dessert.

— Vous mangez jamais de pâtisseries.

— Ouais, ben ce soir si. J'ai la bouche sucrée, Mrs Heapie. »

Le melon est infect : Macbeth a dû le laisser au frigo depuis la fois où il y en a eu au dessert, la semaine dernière... à peine on le pose sur la langue que ça devient une purée tout juste sucrée. J'en pique deux morceaux — je bouffe le raisin qu'il y a dessus — sans lâcher du regard la rampe de l'escalier-spirale. Mon attention s'engouffre là-bas chaque fois qu'une tête surgit, bien que ce soit toujours le double crâne d'un couple bicéphale bras dessus, bras dessous qui apparaît. *Qu'il vienne donc quelqu'un d'un peu indépendant, par pitié.*

Quelques voix se taisent du coup je lève les yeux. Plus de voix devraient se taire. Elle a les bras nus et bronzés, un Levi's noir mais elle a cassé l'effet jean-serré-moulant grâce aux chouettes pompes déglinguées qu'elle a aux pieds, et elle s'est noué un grand gilet autour de la taille. Je jette un coup d'œil à Fraternité et une brochette de jeunes mecs mariés soi-disant comblés la suivent d'un regard empli de regret pendant qu'elle traverse la pièce.

Je me lève, fais deux pas dans sa direction : les têtes

111

de tous les couples suivent mon mouvement mais c'est la tronche de Fraternité que je guette. Elle porte un collier : une chaîne en or tellement fine et fragile qu'au début je la prends pour une mèche de cheveux échappée qui serpente.

« Tu m'accompagnes dans le suicide par empoisonnement », je marmonne, la tête tournée de façon à éviter le regard de Fraternité.

« Ouais, tiens, allez. » Elle hausse les épaules.

Elle commande (tourte aux légumes) et on mange en silence, avec un sourire de temps en temps : moi levant les yeux au ciel quand Mrs Heapie vient reprendre les assiettes. Notre mutisme complet énerve l'auditoire plus que tout. J'engloutis l'entrecôte nerveuse, pas assez cuite, les pommes de terre farineuses. Je demande du pain et je sauce mon assiette.

« Si on prenait un dessert, je lance.

— Pourquoi ça ?

— Parce que c'est marrant les desserts, je réponds.

— Je comprends ce que t'as à leur reprocher : t'en as super envie mais t'en manges jamais, hein ? Tu te figures que je suis pas de taille à cerner le problème mais *si* : en temps normal t'es le bon ronchon de base... »

Je me marre. Des têtes se tournent.

« ... Non attends, laisse-moi finir, tu te crois au-dessus de ces choses-là alors qu'en fait t'es un chic type seulement t'aimes pas prononcer le nom de ces trucs, vu que tu prends la vie tellement au sérieux, ce qui prouve d'une certaine manière à quel point tu es d'une puérilité dingue. Si t'avais des gosses à toi tu te la jouerais sûrement moins lugubre rien que pour des noms sur un menu. T'en as pas, si ?

— Nan », je fais.

Mrs Heapie revient jusqu'à notre table et la fille lance : « Deux Double-Whammy-Tchoc-Dollop s'il vous plaît. »

Après le dessert elle veut un thé. Le Salon d'Observation se vide. Là-bas dans la plantation de sapins les couples en folie doivent tourner en rond en exécutant leur futile petite parade de désir.

Fraternité a attendu son heure et souffre. Au moment où le dernier des couples quitte le salon il vient nous rejoindre à notre table.

« Tout se passe bien ? il nous rigole au nez.

— Ouais, très bien », elle répond. Je grince presque des dents. Elle est dépassée, là, trop près du gouffre pour Fraternité.

« Et votre chambre ?

— Vivifiante. »

Je souris.

« Je vous en donnerai une autre après-demain soir, on a un couple qui s'en va.

— Oh, c'est pas grave », elle me regarde : « J'aurai repris mon petit bonhomme de chemin d'ici là. »

Je lui souris bien en face tout en me demandant quand même si elle voudra bien me laisser son adresse. *Non. C'est hors de question : c'est dangereux ici.*

« Oh quel dommage, alors que vous venez de vous faire des amis intéressants. »

Pertinemment, elle se contente de lui rendre son sourire et il dépose le plateau de trucs à thé apporté pour elle.

« Mais *d'où* diable vous sortez ? » il demande sans vergogne, Fraternité. *Il s'en fout. Les années ont passé et il ne se rappelle plus comment on arrondit les angles. Il y a beau temps que comme moi il ne court plus après ce pauvre triomphe qu'on ressent au moment où le corps d'une fille vient se coller, résigné, contre le nôtre.*

« Juste du Continent tout ça.

— *Juste* du Continent ! Vous prenez des risques à couper par les montagnes sans un bon équipement de marche. On a déjà eu deux morts ici sans compter mon Père, dont vous vouliez piquer la *téloche,* et qui va pas tarder à claquer au premier étage. La dernière des choses qu'on souhaite c'est que notre sauveteur en montagne aille ramasser votre dépouille inerte sur les pentes en vous traitant de tous les noms — et allez donc savoir ce que Nam, notre pilote d'hélicoptère, ferait à votre cadavre s'il devait passer un moment seul avec. *Bon !* Alors vous êtes d'ici... vous avez *l'accent* de quelqu'un du coin. De ce foutu Port même ?

— *No tiene nada que ver contigo, abuelo*, elle marmonne.

— Waouh ! Gloria Estefan. Alors comme ça vous êtes pas complètement de par ici du coup ça expliquerait le bronzage. Vous étiez partie ?

— Mais maintenant : je suis revenue.

— Oui, revenue, et vous vous rincez l'œil devant les beaux paysages que d'autres paient si cher pour admirer, surtout dans *mon* hôtel, et *nous,* en échange, on peut se rincer l'œil pour rien, mmm ?

— Vous m'en direz tant », elle répond. Je manque de sauter sur mes pieds et applaudir à deux mains. Fraternité hoche la tête, furieux à l'heure qu'il est, mais sans laisser tomber le sourire éperdu qu'il a aux lèvres.

« Bon, alors voyons », Fraternité fixe du regard la vitre noire de la fenêtre panoramique : « Qu'est-ce qu'on sait de vous ? On connaît votre nom, bien qu'il soit tellement ridicule que je suis forcé de penser que c'en est un faux, et vous devez avoir un passeport mais à aucun moment vous n'avez fait mine de le présenter. Ta, ta, ta. Vous êtes du Continent — ça se reconnaît à l'accent — mais vous en êtes partie pendant longtemps : à entendre le charabia espingouin. On sait que vous êtes revenue et on sait que vous êtes là, mais où est-ce que vous allez ?

— Je vais dans ma chambre boire une tasse de thé », elle sourit et se lève, en soulevant le plateau à thé avec précaution.

« C'est vrai quoi, vous restez seulement trois nuits chez nous et vous n'avez pas mis le pied dehors pour aller voir notre belle plantation de sapins et les tapis de bruyère, vous avez loupé le petit déjeuner de ce matin alors qu'il est inclus dans le prix !

— Je prends pas de petit déjeuner », elle répond platement.

Moi je suis là, assis, à sourire doucement en suivant le spectacle. Je constate que Fraternité cherche désespérément une faille en elle.

« Vous prenez pas de petit déjeuner ! » Il en postillonne.

« Attention dans l'escalier », je lance. La fille tourne la tête et me sourit.

« Je ferai gaffe. Si vous tenez vraiment à savoir, Fraternité, elle déclare. Ma mère adoptive est enterrée par là-bas le long du rivage, voilà. »

Et voilà pourquoi elle a mis si longtemps à traverser le replat, elle a dû aller voir sur place à ce moment-là.

« Bonne nuit, elle lance.

— Bonne nuit », je réponds en me penchant pour éviter Fraternité. Le plateau calé contre elle, la fille descend doucement les marches, ses cheveux sombrent sans à-coups dans la moquette orange et la voilà disparue.

Fraternité me foudroie du regard.

Je hausse les épaules. « Elle est passée me dire bonjour hier soir. Je lui ai dit de se tirer d'ici.

— Tu te l'es faite ?

— Non. Elle s'intéresse pas aux types comme toi ou moi, elle est de la catégorie au dessus », je dis.

Fraternité retourne derrière le bar en hochant la tête. Il se sert un whisky, se laisse tomber sur la chaise qu'elle occupait ensuite il me contemple longuement. « Pauvre, pauvre type que tu es », il déclare.

Je hausse les épaules puis soudain, étonné de ne pas m'en être rendu compte plus tôt, je m'aperçois que c'est après moi qu'il en a.

« Ça fait longtemps que tu es au courant ?

— Depuis les premiers jours.

— Si longtemps que ça ?

— Tu m'intéresses, tu me distrais, et puis je peux appeler le sergent McGilp quand ça me chante. Mais ce qu'il va falloir que je fasse demain, c'est que je donne une petite conférence sur toi à ta bonne amie là.

— Sois pas salaud, elle écouterait pas mon avertissement.

— Oh, entends-toi donc couiner », il fait en souriant.

C'est idiot mais le temps est compté pour moi et j'ai tellement envie de lui ôter le sourire du visage.

« Où est-ce que tu le planques, Fraternité ? »

Son attitude tout entière change et il écarquille les yeux : « Bon sang, tu es vraiment étonnant. »

Je reprends, dans un quasi-murmure. « J'ai toujours voulu savoir la vérité sur ce crash, sur Carlton, ça m'a toujours intéressé. C'est ça qui m'a amené ici : toi tu es juste un bonus de marge. »

Fraternité contemple son gobelet. « T'as même pas l'excuse d'être bourré. Fais gaffe, Aéro-Crash Expert. »

Il se lève et va jusqu'au feu de bois, le fait crouler à coups de tisonnier et pousse les bûches au milieu pour qu'elles brûlent sans risques. « Éteins les lumières », il sourit puis il ajoute : « Tu sais, tu te figures avoir déjà franchi trop de spectacles horribles, où l'honneur te grimaçait des rictus, écartèlements, mutilations, victimes : tout ça fait partie de ton vocabulaire quotidien. Tu as traversé l'apocalypse... mais n'oublie pas, tout ça c'est dans tes rêves : c'est ce que tu *veux*. Quel genre d'individu es-tu ? Les hommes. Tous des démons. À ton avis qu'est-ce qu'il fuyait, Carlton, pour grimper dans l'obscurité de ce flanc de montagne ? » Il descend l'escalier, s'enfonce dans le sol au cœur de la pénombre. Je tourne la tête et vois la balise des Oyster Skerries qui clignote désespérément.

J'éteins les lumières, regagne le rez-de-chaussée. Je prends le couloir en roulant les mécaniques, mi-figue mi-raisin, et la nuit se referme dans mon dos.

Lundi Seize

Une nouvelle matinée se répand sur toute l'île. Je me passe les prises de vues de l'été, remonte l'enfilade de couloirs pour aller prendre un bon petit déjeuner, veiller sur la fille tout au long de la journée et ensuite la remettre sur son chemin demain matin.

Il n'y a que deux couples dans le Salon d'Observation, tous deux en tenue de voyage pour s'en aller par le prochain avion qui doit arriver. Je jette un coup d'œil à la couche de nuages assez élevée au-dessus de la bruine derrière les fenêtres panoramiques.

J'imagine le petit déjeuner que Macbeth va poser devant moi. Le pourtour doré, cramé du blanc de l'œuf au plat, cloqué comme du caramel à la mélasse ; le thé trop clair que je vais sucrer à mort.

Macbeth traverse la salle dans ma direction. Je suppose qu'il s'apprête à demander « thé ou café ? » si bien que j'ai déjà pris mon souffle pour lancer ma réponse (lui en tenue de cuistot : tablier blanc-pantalon pied-de-poule, fond du froc tout propre qui bat la mesure pendant qu'il traverse la moquette orange). « T'as su la nouvelle ? L'autre poule, super-canon-d'enfer, elle reste une semaine de plus. »

Je me lève : le gusse en tenue de cuistot et les quatre

jeunes en manteau avec alliance à leurs quatre annulaires, tous ils me regardent.

« Où elle est ? je demande, et pas à voix basse.

— Sortie. Y a une vingtaine de minutes, même pas voulu prendre un café. J'ai proposé ! »

Je remonte la fermeture Éclair de mon blouson en m'éloignant de Macbeth. Dehors, la bruine a l'air dressée en colonnes. Je dépasse d'un pas rapide les garages et les caravanes du personnel. Tout au bout de l'allée pleine de nids-de-poule je pique sur la gauche et je prends le bas-côté qui longe la Grande Route ; passé le pont je regarde au loin les mornes rubans de plastique bleu avec lesquels j'ai formé un cordon sanitaire pour isoler l'emplacement du crash de Hotel Charlie : entortillés, qui vrombissent dans le vent âpre. Je bifurque pour m'engager sur le sentier, me rapprocher de l'enclos du cimetière et du mur pignon de la chapelle en ruine qui date d'avant la Réforme. Je repère la fille à l'autre bout du replat de l'autre côté du cimetière. Je suis incollable sur les façons de marcher : celle de Fraternité, le pas traînant de Macbeth, la pesante progression de Mrs Heapie dans l'allée un dimanche ou les lointaines palabres conjointes d'un couple de jeunes mariés tournant en rond. Sa démarche à elle est encore jeune, énergique et déchirante d'assurance... garçonne, aussi. Sa silhouette disparaît derrière le mur du cimetière alors j'essaie de la cueillir à la grille en coupant à travers l'herbe spongieuse de la lande, les flaques pareilles à des tessons de verre noir entre les roseaux : j'en loupe une, mon pied s'enfonce, je soupire et recule d'un pas pour essuyer les côtés de mes pompes après une touffe d'herbe.

Je suis le mur du cimetière côté Chenal, en longeant les croix celtiques qui surplombent le mur et les horribles pierres tombales surmontées d'anges éplorés qui tournent un dos mangé de lichen aux flots de la « baie ».

Grimpée sur le mur avec un bras tendu posé sur la tête d'un ange, la fille est là. Elle lève l'autre bras, me fait signe, saute et disparaît entre les pierres. Je retourne au galop jusqu'à la grille et je remonte à grands pas l'allée centrale du petit cimetière. Elle est au-delà de l'emplacement de Carlton, plantée devant une pierre tombale. Elle n'a rien du tout pour se couvrir la tête et ses cheveux sont tellement trempés qu'ils s'agglutinent en grosses mèches noires qu'elle a écartées pour se dégager le front.

« Je croyais qu'y avait encore le toit », elle sourit et hoche le menton en direction des ruines de la chapelle. La petite pelleteuse excavatrice qui sert à la municipalité pour creuser de nouvelles tombes (livrée sur place, le plus en douce possible, en provenance du cimetière situé de l'autre côté de l'île, quand l'état du père de Fraternité a empiré) est remisée sous l'auvent de la chapelle, recouverte d'une bâche. Je n'ai pas le temps de dire un mot que déjà la fille pique droit jusqu'à la pelleteuse. Elle tire sur le plastique et lance : « On a qu'à prendre ça », se met à genoux et commence à dégrafer un piton de la bâche. Ça libère un pan, et en le tendant au-dessus de sa tête à deux mains elle arrive à s'abriter dessous.

Je demande : « Pourquoi tu prolonges ton séjour ici, dans ce lieu de désolation, ce bordel à la con, ce mec ridicule : tu peux pas ouvrir les yeux et voir que ce type-là c'est le Démon, que la *seule chose* que tu aies à faire c'est de prendre un bus ou un taxi pour te tirer d'ici, abréger tes vacances nom d'un chien ? »

Un grondement sourd se fait entendre, un flottement brouillonne le ciel et les ailes rouges d'un Piper Cherokee émergent en tranchant les nuages, approchent dans notre direction en survolant la baie. Au moment où il passe, la fille écarte la bâche et en plissant les paupières à cause de la pluie, elle renverse la tête en arrière pour suivre des yeux l'avion qui s'amène droit sur l'île et répand un tourbillon de bruine au moment où il franchit l'extrémité du terrain et se pose sur l'herbe.

« Tu ferais mieux de t'en aller d'ici. Va t'installer à

l'hôtel Extrême Bord. Y a des gens de ton âge là-bas. Et une disco. »

Elle sourit. « Mais y a un bus qu'on peut prendre au bout de l'allée le samedi soir, le Discobus : Chef Macbeth me l'a dit.

— Écoute pas Chef Macbeth, écoute personne ici !

— Mmm », elle hoche la tête. Elle sort quelque chose de son blouson simili-cuir et me le tend.

CHER MR FRATERNITÉ,
EN RÉPONSE À VOTRE FAX DE CE MATIN ET À NOTRE CONVERSATION TÉLÉPHONIQUE : JE NE TROUVE AUCUNE TRACE PROUVANT QUE CET HOMME AIT *JAMAIS* FAIT PARTIE DES EMPLOYÉS DU SERVICE D'INVESTIGATION DES ACCIDENTS AÉRIENS, AUSSI LE SERVICE NE COUVRIRA-T-IL *AUCUNE* DES DÉPENSES RELATIVES À SON HÉBERGEMENT.

AUCUNE INVESTIGATION OFFICIELLE CONCERNANT L'ACCIDENT À PROPOS DUQUEL CE MONSIEUR PRÉTEND DIRIGER UNE ENQUÊTE N'A JAMAIS FAIT L'OBJET D'UNE AUTORISATION, NI NE SEMBLE DEVOIR LE FAIRE. LES RÉSULTATS DE L'ENQUÊTE PORTANT SUR CET ACCIDENT MORTEL NOUS ONT PLEINEMENT CONVAINCUS QUE, POUR DES RAISONS INCONNUES, LES PILOTES D'ALPHA WHISKY ET HOTEL CHARLIE ONT DÉCOLLÉ EN PLEINE NUIT DE LA PISTE DE L'HÔTEL DROME ET NE SONT JAMAIS RENTRÉS. LA CARCASSE DE HOTEL CHARLIE A ÉTÉ DÉCOUVERTE AU MATIN PRÈS DE L'HÔTEL. ON N'A PU RETROUVER NI LE PILOTE, NI LA CARCASSE D'ALPHA WHISKY CE JOUR-LÀ MAIS QUATRE MOIS PLUS TARD ON A DÉCOUVERT LES RESTES DU PILOTE QUI ONT RÉVÉLÉ QUE CE DERNIER ÉTAIT MORT QUELQUES HEURES APRÈS LE DÉCOLLAGE (PROBABLEMENT DANS UN LAPS

DE TEMPS COMPRIS ENTRE MINUIT ET LES PREMIÈRES HEURES DU JOUR) LA CAUSE DU DÉCÈS ÉTANT LE FROID ET NON LA COLLISION, LEDIT CORPS AYANT ÉTÉ DÉCOUVERT SUR LA COTE 96 À MOINS DE DEUX KILOMÈTRES DU CHAMP D'AVIATION DANS UN ÉTAT DE DÉCOMPOSITION CONFORME À LA DURÉE PASSÉE SUR PLACE À L'INSU DE QUICONQUE, HORMIS LES ANIMAUX CHAROGNARDS.

LA RÉCENTE DÉCOUVERTE D'UNE CARCASSE D'AVION ENGLOUTIE PAR 300 MÈTRES DE FOND À 500 MÈTRES DU RIVAGE NE NÉCESSITE AUCUNE INTERVENTION DE LA PART DU S.I.A.A. DU MINISTÈRE DES TRANSPORTS. UNE TELLE DURÉE S'EST ÉCOULÉE QU'IL EST PEU PROBABLE QUE LA CARCASSE EN QUESTION SERAIT À MÊME DE LIVRER LE MOINDRE ÉLÉMENT DE RÉPONSE : LE TRAJET NOCTURNE EFFECTUÉ PAR CES PILOTES ÉTAIT AUSSI BIEN ILLÉGAL QU'ÉMINEMMENT DANGEREUX. IL EST PARFAITEMENT FLAGRANT QU'UN CONTACT, OU UNE COLLISION ENTRE LES APPAREILS SURVINT DURANT L'APPROCHE.

ÉTANT DONNÉ QU'IL S'AGIT DE FONDS PUBLICS, LE REPÊCHAGE DE LA CARCASSE EN QUESTION (DE MÊME QUE TOUT AUTRE TYPE D'INVESTIGATION LORSQU'AUX YEUX DE PROFESSIONNELS, LES SEULS RÉSULTATS ESPÉRABLES SONT DÉJÀ CONNUS) NE SAURAIT ÊTRE PRIS EN CHARGE PAR LE SERVICE.

J'AI CONSCIENCE QUE...

La feuille se met à miroiter dans la lumière métallique. Je la laisse pendre le long de ma cuisse. La fille me regarde en souriant. « Fraternité m'a dit que t'avais pas d'argent, pas un radis, il s'en est rendu compte tout de suite. Il dit aussi... »

Elle éclate de rire, tourne la tête et continue de s'esclaffer dans la bâche. Ses joues se sont colorées et je remarque que son rire fait un nuage dans l'air froid, humide. « Il dit aussi que tu es complètement... mais complètement *dingue* ! » Elle écarquille grand les yeux. « Il dit qu'à son avis tu t'es tiré d'une maison de fous, que t'es un genre de schizoschmoll, que tu te prends pour quelqu'un que t'es pas, et que... » Elle lâche de grands hoquets de rire, puis elle crie et tape du pied par terre pour s'arrêter de ravaler les rires. « Fraternité dit que tu te figures que lui il a... quelque chose, il dit que tu te figures qu'il a, des débris qui viennent d'une... d'une connerie de soucoupe volante ! » Elle porte la main à la bouche et se cale l'index entre les dents. Elle me décoche un regard flambant. « Et toi tu viens me dire que je devrais t'écouter !

— Fraternité me fout pas dehors parce que je le distrais...

— Mais t'es qui toi, m'sieur ?

— Je suis le gars d'ailleurs qui vient s'immiscer dans le cercle.

— Le gars-menteur oui...

— Oh va te *faire*.

— Va te faire toi-même avec tes conseils. Vous êtes tous barjots, moi je reste.

— Écoute un peu, et écoute bien : tu vas aller mettre une fleur sur la tombe de ta maman. Et dégager d'ici par le premier bus du matin. »

Elle rabat la bâche d'un geste furax et me hurle : « T'as encore pas compris ? Viens pas me dire ce que je dois faire ! »

Je commence à m'éloigner : « En plus de ça j'aime que Beethoven. » Mensonge éhonté. Je fais demi-tour et je tends le doigt vers la petite pierre tombale de

Carlton. « Pendant que tu y es, colle donc une margue-rite sur celle-là. »

Soir.

Je traverse la succession de tronçons éclairants du couloir en direction de la victoire de Fraternité et de ma propre ration de défaite qui n'a rien d'une nouveauté. Elle est déjà là dans le Salon d'Observation, juchée sur un tabouret. Elle porte la mini-jupe que Fraternité lui a achetée ce matin et dont elle a passé tout l'après-midi à raccourcir l'ourlet, assise devant le feu de bois, en regardant les hérons se promener du bout des pattes ou traverser l'horizon blanc au-delà de la piste du ter-rain d'aviation. Ses jambes ont l'air de longues giclées jaillies d'un seau d'ailleurs deux maris sont bel et bien en train de lui parler accoudés au bar. Je lui ris au nez : ultime bravade de l'homme acculé. Je gagne ma table.

Qui peut dire, qui se soucie de ce que je commande et porte à ma bouche. *Ma bouche : un jour une goulée de sang noir me remontera d'un coup à la gorge et cou-pera court à mon dernier bredouillage, en pleine phrase. Je me pencherai et cracherai un caillot juste pour permettre au suivant de monter en moi, comme une naissance.*

Fraternité s'amène jusqu'à ma table. Il rigole, pose sur la table mon whisky préféré additionné de glace pilée : « Elle vient d'avoir une super idée : une fête pour égayer ce vieil hôtel... avec un DJ, mais une fête pas ordinaire. On ouvrira la salle à manger, hein ? *Tous* les pension-naires en seront, alors va pas te pendre avant. »

Le temps que le Salon d'Observation se mette à puer le café, la jeune femme a fini de manger et regagné le bar où elle raconte des trucs à deux couples, boit une ribambelle de limonades coupées d'oranges pressées et anime la soirée à elle toute seule : gilet noué autour de la taille, renversée contre le dossier de son tabouret elle fait glisser une mèche de cheveux de son épaule nue dont la courbe renvoie le reflet des flammes du feu de bois. Fraternité accoudé au bar relance les conversations, les oriente dans des directions variées. Puis à regret, déconfits, les couples se forcent à abandonner ces réjouissances au nom de ce nouveau concept intitulé : leur mariage. Les hommes ont tâché de regarder autant leur femme que la fille mais ils n'y sont pas arrivés. Je pars avant qu'elle et Fraternité traversent pour venir s'installer près du feu de bois. Je soupire, profondément las. Au moment où je me lève la fille m'adresse un regard de défi. Je n'ai pas la force d'endurer le boniment que Fraternité va se mettre à dégoiser, ses vieux enchaînements éculés : révolution, ironie, Afrique, dualité et recours à des rituels de magie noire au moment de la mort ; atrocités au Moyen Âge : comment on entourait la tête des victimes d'une petite caisse en bois avant de les précipiter du haut des falaises du château ; statut social des empileurs de crânes chez les Khmers rouges.

« Bonne nuit !

— Fais de beaux rêves », ils lancent perfidement, et je vois ses chaussures plates en toile qui lui donnent l'air tellement jeune, cet été.

Bien en vue sous leurs yeux, je prends un des cendriers. Arrivé à la réception au lieu de pousser les portes incendie pour m'engager dans la demi-lueur du couloir j'ouvre la porte d'entrée à la volée puis je traverse le gravier du terre-plein, je prends le coin du bâtiment et je pénètre dans la plantation de sapins où, par cette nuit sèche, là-bas sur la gauche, je vois des couples de jeunes mariés s'enlacer. Je foule aux pieds les tout à coup luxuriants tapis de piloselle jusqu'à la terrasse de la 15 et je jette le cendrier bien lourd en plein dans la porte. Fracassée près du bas, la partie d'en haut hésite puis, en avalanche, la vitre dégringole. Je me marre tout haut, en tournant la tête pour m'assurer que le couple (de la 7) m'a vu faire. Les deux tourtereaux détalent pour aller prévenir Fraternité qui va hocher solennellement la tête mais se marrer bien fort dès qu'ils auront le dos tourné.

Matin :
1. Vitriers venant de l'autre côté de l'île.
2. Douceur du temps brusque qui amène un faucheux aussi gracile que les filaments d'une ampoule.
3. Son flacon de parfum qui cogne au moment où elle le pose sur la coiffeuse de l'autre côté de la cloison, à la tête de mon lit.
4. L'affiche dans le vestibule.

Note de l'Éditeur :
affiche jointe au manuscrit :

Drag-Party

Vendredi soir 8 h

Salle à manger

Musique !

Chili con carne !

Bière !

Participation obligatoire de tous les pensionnaires

Tout le monde devra se costumer

en personne du sexe opposé

Pas de dispense-tricheurs

Ordre de la direction

JOHN FRATERNITÉ

Note de l'Éditeur : communiqué de presse de la maison de disques Argyll Archipelago collé au manuscrit :

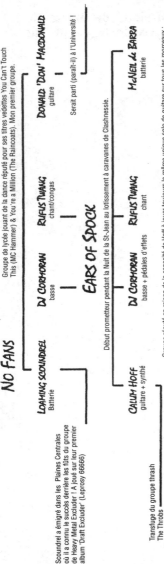

NO FANS

Groupe de lycée jouant ses titres réputé pour ses titres vedettes You Can't Touch This (MC Hammer) & You're a Million (The Raincoats). Mon premier groupe.

LOAMING SCOUNDREL — Batterie

DJ CORHORAN — basse

RUFUS TWANG — chant/congas

CALUM HOFF — guitare + synthé

DONALD 'DON' MACDONALD — guitare

Serait parti (paraît-il) à l'Université !

Scoundrel a émigré dans les Plaines Centrales où il a connu le succès derrière les fûts du groupe de Heavy Metal Excluder ! A joué sur leur premier album 'Draft Excluder' (Leprosy 66666).

EARS OF SPOCK

CALUM HOFF — guitare + synthé

DJ CORHORAN — basse + pédales d'effets

RUFUS TWANG — chant

DONALD 'DON' MACDONALD — guitare

McNEIL & BARRA — batterie

Début prometteur pendant la Nuit de la St-Jean au lotissement à caravanes de Clashnessie.

Groupe réputé en raison de la capacité de Hoff à jouer toujours le même unique solo de guitare sur tous les morceaux : quelques super trucs quand même dont le CD single Dancing About Architecture (Argyll Archipelago 001) que quelqu'un a ... les tubes de Pleine Mer, les EARS OF SPOCK se sont

Londres a acheté. Après avoir accepté un contrat d'eux pour un an le groupe d'animation musicale du ferry de nuit Psalm 23 qui dessert les îles de Pleine Mer, les EARS OF SPOCK se sont rendu compte que McNeil de Barra souffrait de mal de mer chronique et disparaissait souvent à mi-session en branchant une boîte à rythme avant avoir vomi sur sa batterie. Quand Mary en personne m'a repéré, au cours d'une traversée un jour de tempête, en train de vomir sans pour autant louper une seule note à la basse, elle m'a demandé d'entrer dans son groupe.

AFTERNOON DAINTIES

CALUM HOFF — guitare

RUFUS TWANG — chant

McNEIL & BARRA — batterie

Les Dainties ont déménagé à Aluminiumville où ils se faisaient régulièrement jeter à coups de bouteille eux et leur matos au moment de la pop orientale. Ont fini par sombrer dans la fange d'un torrent d'accusations de harcèlement sexuel sur cheptel ovin et intoxication due à l'excès de saucisses de Lorne.

MARY DIESEL AND THE AIR BRAKES

'KRELL' BOB KINZER — guitare

BOB KINZER — claviers

DJ CORHORAN — électronique/basse

MARY DIESEL — chant

DJ CORHORAN

QUATRE-QUATRE MACMHON — batterie

Transfuge du groupe thrash The Throbs

Programme de rock cogneur teinté blues/soul j'ai commencé (d'après eux) quand j'ai commencé à introduire des samples de cassettes en boucle pendant la tournée nationale ! Enregistré cassette en public 'Roof-of-the-Mouth-Mucus & Seven Sunrises' à l'occasion du Festival de Musique Progressive de Tighnabruaich où on n'a pas dormi d'une semaine puisqu'une fois montés sur scène on a attaqué chacun un morceau différent au même moment, et que le mari porté disparu est reparu au port avec les huit enfants de Mary. La première dame du blues a quitté la tournée. Le clou du voyage ç'a été le rappel (le 2e * !) à la mairie du village de Barcaldine : Mary était tellement bourrée qu'elle a pissé dans sa culotte et pris le jus en attrapant le micro sans s'arrêter de chanter ! Je quitte le Continent pour aller m'installer dans l'île.

POST-HUMP HICCUPS

'KRELL' MACDOWELL — guitare
DJ CORMORAN — basse/chant
RAWQUELLE — batterie/chant

Beau succès avec notre ignoble premier single 'Blow Job From a Virgin' (Nala 122), puis notre batteur s'est découvert un problème cardiaque et a commencé à raconter un tas d'histoires d'extraterrestres. Après dissolution, je me consacre de plus en plus au boulot de DJ. Un album enregistré jamais paru : 'The Fire Escapes are Burned to Hell !' puis nouvelle formation...

VICARS OF WAKEFIELD

'KRELL' MACDOWELL — guitare
JOE-LA-VANILLE — basse/chant
BOB KINZER — claviers
QUATRE-QUATRE PICLHON — batterie

N'entrez jamais dans une formation composée de rescapés d'autres groupes, voilà ce qu'on devrait dire à nos petits-enfants. Les Vicars m'ont suivi sur l'île, en partie pour essayer de me convaincre de venir vivre avec eux. Rétrospectivement, ça pouvait passer pour une démarche normale. Ils n'ont jamais pu décrocher une date, même pas à Wakefield. Pendant ce temps-là, j'ai commencé à répéter avec Thundertown. J'habitais dans une caravane sans l'électricité, avec Pette Sirène, la chanteuse des MUFTI. Les Vicars se sont séparés, et comme ils n'avaient nulle part où habiter ils ont dû rentrer sur le Continent — sauf Joe, engagé sur place dans l'île.

BIG WET KNEE

DJ CORMORAN
THUNDERTOWN — guitare/chant
PETTE SIRÈNE — chœurs
OLLIE McNABOLE — guitare
L'ARÇONAUTE — batterie

Joueur de Strat légendaire, Thundertown a répété sept mois avec son groupe dans lequel jouait le meilleur — même si c'est le plus taré — des batteurs de la région (qui remplit ses tonns d'eau de mer). Thundertown est moitié Peau-Rouge, Cherokee ou quelque chose comme ça. Il est revenu après la fermeture de la station de recherche. On a commencé à répéter dans l'ancienne caserne de pompiers des Endroits Éloignés, et notre première date devait se tenir au Centre d'Été. Thundertown avait prévu qu'on se lasse amener par l'hélicoptère de l'Amsterdam. Arrivée super classe, seulement l'Arçonaute m'a fait barder toute sa batterie de pédales wah-wah. Moi j'étais un peu attaqué parce que j'avais pris un super mélange : cachetons de Katovit + bouteille de liqueur de café + une demi-boîte de lait concentré + pleine bouteille de Cognac coupé au sucre roux. Délicieux. Thundertown a flippé quand il a aporis ça et il m'a viré. J'ai été remplacé par Walter Grainer Smith, un prodige musical de 12 ans qui a appris toutes mes parties de basse dans l'après-midi et les a jouées sans se planter une fois. J'ai décidé d'arrêter et de me consacrer à mon sound system et ma propre musique. J'avais carrément craqué en entendant ce que faisaient Guy Called Gerald, Voodoo Ray, et j'étais plutôt tourné vers la musique dance : à mixer des bonnes 3 rythme et des vieux Roland. Par hasard il s'est trouvé que Thundertown était tellement fait le soir de la date que Walter Erainger a dû s'avancer et débrancher le pédalier d'effets à sa place.

DJ CORMORAN LACERATION FETISH SOUND SYSTEM

DJ CORMORAN — électronique
PETTE SIRÈNE — chant/électronique

McNabole a ensuite produit le groupe musette de Bert Criwen. Dernière fois qu'on a entendu parler de lui, il jouait dans ARMANI SUITS, le super groupe gaélique des Îles de la Pleine Mer.

Dans notre petit studio construit e nous sons on a enregistré deux longs CD single que Argyl Archipelago a sortis : 'Flashing Squarts' et un tube underground : 'Weeping Blisters of Job' qui ont rapporté assez de fric pour que je tâche d'organiser quelques soirées dance sur l'île.

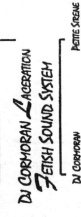

TEXTE 1
Deuxième Partie

« Y en a certains, c'est des préservatifs ! » il lance le mec d'un des couples jeunes mariés et comme il dit, certains des ballons massés sous le plafond de la salle à manger qui sert jamais — scotchés tout le tour après les faux chandeliers avec du sparadrap transparent qu'on met aux poignets osseux du père de Fraternité pour faire tenir les perfusions de glucose dans ses veines — certains des ballons accrochés sont *bel et bien* des Durex.

C'est DJ Cormoran qui tient la sono de la soirée travestie et du coup l'envie lui est venue d'organiser la rave-partie du millénaire pour fêter l'arrivée de siècles neufs.

Il est sous le porche en train de brailler : « Tout ce que tu déposes faut que ça soit en douceur », pendant qu'il tombe des caissons de basses coins métal du camion-benne de Joe-le-Mineur.

Encore en tenue de mec, Fraternité s'amène à la tombée du jour avec une caisse de disques, mais tout du Bob Dylan. Je pars faire un tour au-delà de la barrière du champ d'aviation, avec l'herbe qui trempe mes chaussures en toile, en coupant à travers des grands espaces découverts qui vont se peupler de vélums, DJ et tribus au Premier de l'An. Puis je vois la silhouette familière en train de sillonner comme d'hab les terrains qui s'étendent derrière l'hôtel Drome : Celui Qui S'Avance dans le Crépuscule du Firmament avec des Bouts d'Épaves Brandis Au-Dessus de la Tête. Son long imperméable pareil à celui d'un employé de bureau citadin illustre à l'avance les paroles de Man in the Long Black Coat, de Bob Dylan — un morceau sur lequel je tournoierai dans ses bras ce soir (les doigts posés sur la chair nue de son cou, au-dessus de l'échancrure plongeante du dos de sa robe) — une des nombreuses valses crachotantes, énigmatiques que Fraternité a désignées comme la seule musique autorisée.

L'imper lui bat les jambes au rythme de ses pas souples pendant qu'il arpente des distances comme un dingue à mi-longueur de la piste d'aviation ; qu'il scrute le ciel pour ensuite, regard toujours braqué en direction des eaux du Chenal où gît son inatteignable appareil englouti, noter quelque chose dans un mini-calepin.

Il fait presque noir quand je vois l'Aéro-Crash Expert tourner le dos au dernier trait de lumière qui rase les flots larges : on dirait qu'il regarde longuement dans ma direction. C'est à ce moment-là que je repère la silhouette entre lui et moi, menton sur la poitrine en train d'avancer d'un pas tranquille, mais je distingue pas ses pieds, juste la manière qu'il/elle a de se frayer un chemin à l'endroit où le talus au-delà de la piste dégringole jusqu'au rivage caillouteux. En regardant bien, on devine que cette nouvelle silhouette se trouve à trois cents et quelques mètres, jambes masquées par des touffes d'herbe de la lande. *Ça* se rapproche, dans le demi-jour, de plus en plus difficile à distinguer sur le fond d'ombre noire à l'endroit où la jetée commence. Dans son imper noir, l'Air-Crash Expert commence à tendre l'index, je le vois montrer son bras tendu aux premières étoiles : c'est pas vers moi qu'il brandit le doigt, c'est vers la silhouette qui marche. L'Aéro-Crash Expert agite les deux mains en l'air du coup on s'aperçoit qu'il s'est mis à courir. À ce moment-là je tourne la tête, mais quand mes yeux accommodent, mon regard plus précis que jamais, le fantôme reste tête basse, les gestes raides et le visage tellement blanc qu'il en a l'air bleu : pas de pieds, il glisse, spectral, sur les cailloux.

J'entends un bruit ; d'abord je crois que c'est une mouette puis je reconnais l'humanité d'un cri : Celui Qui S'Avance en Imper dans le Crépuscule est en train de me faire signe, de m'appeler. Je fronce les sourcils, d'un coup, saisie de froid par ce que j'ai vu. Je traverse la piste pour le rejoindre mais il pique en direction du talus qui plonge sur le rivage et disparaît de ma vue. Le temps que j'arrive, l'Aéro-Crash Expert a continué jusqu'aux pilotis crépis d'algues de la jetée (la marée est archi-basse). Plus trace nulle part de l'autre silhouette. Je fouille du regard l'obscurité du rivage et l'étendue dégagée de la piste mais le fantôme a disparu.

« Voilà que maintenant un kangourou s'est échappé du zoo à ce qu'y paraît », il lâche d'une voix hachée le mec en imper, bras écartés pour tenir l'équilibre, une jambe carrément repliée : la pente tellement raide que l'herbe lui touche presque la figure. Il ricane, sèchement.

« Ouais, c'est ce que j'ai entendu dire. Ils ont emporté le grizzly, suspendu en dessous de l'hélicoptère », je fais comme ça.

Il hoche la tête, regarde d'un côté puis de l'autre et pose les mains à plat sur ses genoux. La ceinture de l'imper est sortie des passants : l'herbe l'a tellement détrempée qu'elle traîne toute luisante et d'un coup ça me cause un sentiment super puissant de (ce que j'appelle à part moi) Fragilité Humaine à l'égard du type courbé en deux. Je manque tout lui cracher le morceau. Des larmes montent à gros bouillons et j'ai envie de le serrer fort dans mes bras. Fragilité Humaine, à surtout pas confondre avec ce truc qu'on appelle pitié : la seule chose qui me sauve c'est son baratin exalté.

« T'étais super près, tu l'as vu hein ? »

Je fais oui de la tête, le regard limpide sous les cieux turbulents qui commencent à brasser des traînées d'étoiles.

« Ça fait comme de voir un fantôme. Hé, file-moi un coup de main que je sorte de là. Faut que j'aille m'habiller, mais dans toutes ces jeunes mariées y a pas une seule nana à qui je puisse demander... »

Le temps de retourner à l'hôtel, de laisser derrière la vision du fantôme, dans l'obscurité à cette heure, Celui-Là Qui Avance Dans le Crépuscule du Firmament cause sur la façon que les jours ont de s'écouler « comme ça ». Il parle de l'avion télécommandé bourdonnant de Chef Macbeth, « qui tourne en rond au cœur de ces après-midi intenables » et la formule que je préfère : « les couples qui s'éternisent comme des statues de cimetière dans la plantation de sapins ».

Une fois dans sa chambre il me dit : « Je pourrais aussi bien être Robinson Crusoé.

— Ce soir c'est moi qui ferai ton *compagnon* Vendredi », je réponds avec le sourire. Il rugit, mort de rire, range dans la penderie vide l'imper oublié depuis un bon moment. De la valise (où derrière il y a une bouteille de whisky presque vide avec l'étiquette des supérettes Spar) il sort le costume. Je lève la veste du bout des doigts puis je la retourne au vol et je la plaque contre moi en enfonçant les bras à fond dans les poches. Ça fait beau temps qu'il a masqué les miroirs de sa chambre avec des serviettes de toilette alors je passe dans la salle de bains en criant : « T'aurais pas une chemise ? » et en même temps je me rends compte qu'il a encore jamais dû entendre une voix l'appeler de là.

Du coup, aux pieds du costume autrefois élégant il voit que j'ai pas quitté mes chaussettes, les ongles encore pleins de vieux rachos de vernis couleur Miss Selfridges. C'est là qu'il commence de capter.

Il lance : « Tu veux pas que je voie tes pieds, rapport

au vernis à ongles neuf. J'ai explosé ta porte-fenêtre, t'as dû avoir peur, si seulement je m'en étais aperçu plus tôt. » Il se marre : « T'es incroyable, vraiment incroyable. T'es pas venue me trouver pour étaler ces deux robes sur le lit et tâcher de rafler la Plus Belle Fille du Bal, t'es pas venue me faire voir les deux trois fards et rouges à lèvres que t'as piqués aux deux plus jeunes mariées, ni pour me montrer comment doser mon fond de teint d'après les veines bleues que j'ai au poignet », il lance. « Tu veux me montrer que toi et moi on est pareils, t'es venue me révéler la vérité. Au début j'ai cru que c'était pour... »

Une fois qu'il m'a persuadée de quitter les chaussettes bourrues, rêches de la Coopérative Maritime, on se regarde bien l'un l'autre. Je pose le Lady-shave, et dis comme ça : « Je passerai te chercher à moins le quart : *à toi* de te raser les jambes ! » et je sors de sa chambre dans son costume.

Une heure plus tard me voilà en train de remonter le couloir bras dessus, bras dessous avec lui ; un couple de jeunes mariés marche devant · ses cuisses musclées à lui dépassent d'une mini-jupe, ses cheveux gominés à elle sont lissés en arrière, et elle tient à la main une cigarette allumée qu'elle fume pas.

D'autres drôles de couples travestis sont groupés dans la salle à manger, en train de rigoler et d'admirer les fringues des autres. DJ Cormoran, la mine lugubre derrière sa table de mixage, est là à fredonner du Dylan : une halogène frontale de ramasseur de bulots qui oscille de haut en bas pendant qu'il passe en revue les morceaux cochés par Fraternité sur les Albums Autorisés.

Chef Macbeth, habillé en infirmière, sert des bières pression derrière la table du buffet recouverte de nappes blanches à l'autre bout de la salle à manger. Partout les personnages-hommes portent à la bouche des demi-pintes ou des jus de fruit pendant que les personnagesfemmes éclusent des pintes et laissent des traînées de rouge à lèvres écarlate sur le bord de leur verre de whisky. Un personnage-homme en tenue de marin fait son entrée agrippé à une ceinture de sauvetage, accompagné d'un personnage-femme qui pointe des super gros nibards pour écarter les portes battantes : la femme c'est Shan-le-Passeur, l'homme c'est sa femme.

Un personnage-femme avec perruque pyramide blanche à la dix-septième siècle et avalanche de diamants aux oreilles s'amène, regarde alentour. Sous le fond de teint mal tartiné je reconnais Fraternité : le velours de sa robe ondule quand il traverse la salle pour aller dire quelques mots à Macbeth, puis il lève une pinte d'une poigne ferme vers son visage blanc.

Mrs Heapie fait son entrée accompagnée de son mari. Elle est allée en ville pour de bon avec un bleu de chauffe orange truffé de taches de cambouis, un casque de chantier, et une grosse clé anglaise impressionnante qu'elle pose soigneusement sur la nappe ; ses pompes à coques de sécurité lancent des éclairs joyeux sous les projecteurs de la disco.

Et moi, Celui-Là Qui S'Avance Dans le Crépuscule à mon bras, je me suis dessiné une moustache de mec, *bigote,* sur la lèvre du haut, avec les pointes à la retourne ; le costard flottant et mes pompes en toile rase-mottes. Celui Qui S'Avance a la mini-robe d'une des jeunes mariées (de la 12 je crois) qui laisse voir ses jambes longues, lisses à l'heure qu'il est, mais on a pas réussi à lui dégoter de chaussures qui lui aillent alors du coup, au bout de ces super cannes y a juste ses bottes de plouc mais ça nous empêche pas de valser d'entrée de jeu sur Father of Night de Dylan (1 min 29) (super mystérieux, qui recèle tous les trucs qu'on dissimule).

Une fois finie notre petite danse, il lance l'Aéro-Crash Expert : « C'est l'heure des médicaments », en se dirigeant vers Macbeth, loin à l'autre bout de la piste.

A voir comment les yeux des gens sautillent un peu en la regardant, je comprends que ma moustache bouge bizarrement quand je parle. « Ça dit quoi question zique ? » je fais comme ça à Cormoran que tout le monde connaît d'une fois ou l'autre, vu qu'il joue tout le temps dans des groupes.

« C'est celle à Fraternité. »

Je m'accroupis et je passe un par un tous les albums de Dylan en revue.

« Tu te boufferais pas un truc ? il demande.

— Que dalle, je fais comme ça.

— T'es mignonne, même en mec, qu'est-ce t'en dis ?

— Va te faire.

— C'est ton mari ça ?

— Penses-tu. »

Cormoran hoche la tête, la frontale se balance au-dessus de ses yeux. Puis, plus poignant que tout, voilà qu'il passe Sign on the Window : on regarde un long moment ensuite, super délicatement, on sourit de cette splendeur poignante.

Fraternité s'amène à grands pas avec de nouveaux couples travestis. Il glouffe mais je vois bien au-delà du sourire comme il est en train de nous épier l'Expert et moi pour deviner ce qui se mijote. Fraternité me rejoint et remonte ses seins d'une tape du plat de la main : « Glissement de terrain. »

L'Aéro-Crash Expert s'avance au moment où je me redresse au-dessus de la caisse de disques où il y a les Morceaux Autorisés.

« Dommage que tu sois pas un homme, je t'aurais invité à danser, il dit l'Aéro-Crash Expert à Fraternité.

— Oh on peut faire double emploi, je suis *très* large d'esprit.

— Vous êtes ravissants, je lance, comme ça peut-être qu'ils s'abstiendront de friter.

— Une petite bise, monsieur ? il demande Fraternité.

— Pour finir avec plein de rouge sur mon col de chemise, non merci », je fais comme ça.

Les deux mecs, dans leurs fringues de femmes, se marrent. Je m'approche du pendant d'oreille de Fraternité et je murmure : « Vous me faites pas peur.

— Mmm », il sort comme ça, l'air pensif.

DJ Cormoran se met à brailler : « Ho m'sieur Fraternity, m'sieur Fraternity, dis elle est trop ta zique mon Pote, question textes je parle, mais je te jure : tu me laisses mixer quelques petits breaks de percus là-dessus, ma parole je nique tout le monde à fond. Sans déconner, ces violons-là, c'est la *mort* mec — le violon c'est pas sexe, et le trombone pas mieux. »

Sans un regard au DJ, Fraternité lance : « Contente-toi de passer ce que je t'ai dit... et en tous les cas garde I'll Be Your Baby Tonight pour la fin ; allez... »

Fraternité empoigne le micro.

« Mesdames et Messieurs — mais je ferais peut-être mieux de dire Messieurs et Mesdames — tous ceux qui sont ici ce soir, ainsi que moi-même, vous remercient de votre participation si chaleureuse. Notre infirmière Macbeth est en train de servir du chili con carne avec du riz, et de la bière pour calmer le jeu des fois que tout ça devienne trop chaud. Plus tard il y aura un concours pour élire le Plus Beau et la Plus Belle du bal mais en attendant si vous voulez bien tous entrer en piste pour une valse... Envoie la *zique*, mec », il fait entre ses dents Fraternité.

DJ Cormoran met la galette en marche : le morceau démarre, une valse traînarde, bizarre, avec violons et harmonicas, intitulée Isis.

Les couples attrapent les femmes et les maris les uns des autres. D'un coup, Fraternité me prend les mains puis il m'entraîne en valsant jusqu'au milieu de la piste. Il valse méchamment bien, en suivant des lèvres les paroles d'Isis et en me regardant dans le blanc des yeux comme s'il tâchait de faire passer un message. J'écoute le texte et j'apprends que je peux faire de Fraternité ma victime.

Celui Qui... etc... L'Homme Aux Épaves, regarde

vers nous. En l'observant par-dessus l'épaule en velours de Fraternité, je le vois se remonter la devanture puis amorcer la traversée en direction de Macbeth qui suit sa trajectoire du regard et baisse les yeux, inquiet, vers la bière qu'il est en train de servir. Aussi sec L'Homme Aux Épaves se repointe en traînant Macbeth sur la piste. Dans sa tenue d'infirmière, Chef Macbeth essaie de se dépêtrer de lui en rigolant mais ça se voit à quel degré il est furax tout en dedans. Ça se voit que l'Aéro-Crashmane est en train de prendre sa revanche en écrasant leurs gros seins à tous les deux et en faisant tourner Macbeth bien plus vite que la normale pour une valse complètement délire. L'Aéro-Crashmane s'arrête et fait tournoyer Macbeth sur place en lui décollant les jambes du sol sans qu'il y puisse rien. La jupe d'infirmière se retrousse : spectacle répugnant des jambes marbrées du cuistot prises dans des bas résille.

Les autres couples travestis qui dansent et sifflent ont le bon réflexe de se pousser pendant que Macbeth tourne de plus en plus vite puis part d'un coup à l'horizontale, se tape les lattes en bois et roule sur lui-même. Aussi sec il se relève d'un bond mais un de ses talons hauts se débine sous son poids du coup il retombe assis.

Fraternité est forcé d'arrêter de danser avec moi tellement il est mort de rire, son maquillage fait marmelade totale à force de frotter. Une autre valse qui s'appelle Winterlude commence, alors je vais rejoindre l'Aéro-Crashmane qui est en personne derrière la pompe en train de servir des bières sous les regards mauvais de Mrs Heapie, clé anglaise à portée de main le temps de servir des méchantes louchées d'un chili carabiné au riz.

Fraternité aide Macbeth à se relever, lui gueule après et traverse d'un pas mal assuré, la perruque basculée de côté.

Houlihan, L'Homme Qui S'Avance dans le Crépuscule — n'importe — avec son nom genre irlandais, passe une assiette en carton pleine de chili avec une fourchette en plastique plantée dedans. « Fourre-toi ça dans le fond de la glotte », il fait comme ça.

Je goûte une bouchée et ça me met la gueule en feu. « La vache », je dis en tendant le bras et j'attrape sa grande pinte que je descends de quelques goulées.

On se remet à valser, ma main sur son épaule lisse et lustrée, ses bras nus qui encerclent le tissu de son propre costume.

« Le fantôme, il murmure.

— On l'a vu, je hoche la tête.

— Ensemble », il fait comme ça.

DJ Cormoran passe à un morceau style boogie : Down Along the Cove. Ce barjot de Fraternité, à qui appartient tout le bastringue au grand complet, lance une gigue collective : un tas de nibards et de culs s'en mêlent, s'en retournent, s'entre-brinquebalent, un peu trop pour certains avantages, du coup il y a une épidémie de dégringolebignage et rajustage de sous-tifs en déroute. Là-dessus voilà Fraternité qui organise et mène une chenille — où même DJ Cormoran et nous on est obligés de s'accrocher le temps de serpenter entre les portes de la salle à manger pour prendre le couloir dans un sens puis dans l'autre en déclenchant les plafonniers néons ensemble tout du long pour la première fois. La chenille grimpe, en gigotant d'un air un peu lourdaud, pas du tout en rythme dans l'escalier-spirale, et fait le tour du Salon d'Observation : il y en a des, en queue de file, avec à la main des bières en bouteille qu'ils ont chourées en longeant le bar, d'autres qui torchent les canettes et en fin de compte les jettent par terre dans la salle à manger où des pieds vont continuer de buter dedans et les envoyer voltiger dans tous les sens sur les lattes luisantes de la piste de danse.

Fraternité, le type et moi on est debout à côté de la

table de mixage de DJ Cormoran, les faux bijoux de Fraternité scintillent.

« Vous vous y croyez à fond, les mecs », DJ Cormoran hoche la tête.

L'Aéro-Crash Expert fait comme ça : « Dis voir, fiston, t'as ta casquette de base-ball qu'est à l'envers.

— Ho ho. M'sieur Fraternity, hé, Chef. De quoi c'est qu'on causait déjà : de la Méga. Super Teuf d'après Noël qui va ramener tous les petits jeunes bouffeurs de cachetons. Le Champ d'aviation : d'enfer comme site.

— C'est quoi ? je fais comme ça.

— Des samples de percus repiqués sur des amplis. Ça c'est le plan qui paie en ce moment vu que c'est *la fin* du siècle. La misère c'est vous qui la fabriquez, les mecs, alors autant faire votre beurre sur les moyens de s'en évader.

— Je songe à étendre mes activités. Came », Fraternité hoche vigoureusement la tête.

« Pas que la came, m'sieur Fraternity : le total grand circus holistique évasionniste ici même à l'hôtel Drome et dans ses environs. Je peux vous organiser tout ça.

— Qu'est-ce que vous en dites les enfants ? » Fraternité sourit et nous pose la main sur l'épaule. Il ajoute : « Je me chargerai de la sécurité. »

Une boulette de chili con carne fend l'air et vient s'écrabouiller dans le dos nu et poilu d'un mec, juste en dessous de la rutilance de son agrafe imitation diamant.

Cormoran se penche en avant pour tâcher de protéger les platines pendant que d'autres grumeaux de chili pleuvent en courbes molles, voyagent à travers la salle tout près du plafond. Une boulette égarée, lancée par un type en manteau de fausse fourrure, plane en hauteur et percute une fille titubante avec une barbe postiche qui a l'air en coton.

Accroupie à côté des platines de Cormoran je vois tout : la jeune mariée qui m'a prêté la robe de l'Aéro-Crashmane — et le Ricil — s'avance d'un pas décidé, une énorme cocotte de cuisine dans les bras, son petit mari tout neuf en robe bleue (noircie à la cuisse par des impacts de tir) à ses côtés. Elle plonge les mains à l'intérieur et balance des poignées de chili devant elle. Hommes ? femmes ? ça rugit et des mecs hurlent au moment où des balafres de chili rouge sang s'étalent, luisantes sur leurs fringues en dentelle et leurs visages blancs — ces deux mecs se sentent sans doute pas dépaysés dans cette débauche de plaies humides ? L'Aéro-Crash Expert ramasse une giclée sur sa poitrine lisse et imberbe, juste au-dessus du sillon central. Il avance d'un pas et arrache la cocotte à la fille-habillée-en-golfeur, plonge la main et lui en broie un paquet en pleine poire. La fille hurle. Le mari flanque un gâteau dans la tronche de l'Aéro-Crashmane. Ça l'interrompt une demi-seconde le temps qu'il rouvre les yeux au milieu de la crème synthétique puis il soulève la cocotte et déverse le tas entier sur le mari qui tâche d'esquiver mais qui peut pas — avec ses talons hauts — s'écarter assez vite : une méga-coulée de chili dégouline le long de son dos nu puis effleure le cul pointé en arrière avant de chuter par morceaux sur le sol. Un talon haut ripe sur le côté en laissant un sillon propre sur le bois du parquet : le mec est à terre au moment où l'Aéro-Crash Expert l'enjambe en jetant la cocotte dans un bruit de ferraille.

Chili et gâteau voltigent partout. « Suis-moi, t'éloigne pas », il me lance l'Expert. Je me prends une poignée de chili dans la figure et j'ai un œil qui commence à me piquer d'enfer mais de l'autre, j'y vois assez pour me frayer un chemin à travers le massacre — en direction de Fraternité courbé, en train d'expédier des assiettes de chili, la perruque de traviole, avec l'air d'un rescapé de je sais pas quel crash aérien atroce, couvert d'éclaboussures de sauce visqueuse comme du sang, genre mutilation. L'Aéro-Crash Expert balance le poing de tout son poids et chope Fraternité sous l'œil. Je frémis en voyant voler la perruque, le visage blanc poudré en pleine lumière sous des cheveux encore blond clair. Fraternité atterrit sur le cul, jambes écartées, des poils humides plaqués en boucles sous les collants ignobles. Une gifle de chili rabat le visage de l'Aéro-Crashmane.

La salle s'est divisée en deux camps : un qui se planque derrière les tables du buffet, l'autre qui rebalance les louchées de chili récupérées sur la table de mixage pleurnichante de Cormoran. Je suis prise dans le tir croisé du No Man's Land.

« Suis-moi », il dit l'Aéro-Crash Expert.

On se met tous les deux à quatre pattes. Par terre, au milieu des flaques rouges de sauce : des victimes, bourrées... et un couple pas officiellement marié, en train de se rouler des palots.

Au moment où l'Aéro-Crash Expert, Worner, Celui-là Qui S'Avance au Crépuscule... Mister Épaves... tous les noms qu'il utilise avec moi ces jours-ci... au moment où il me prend par la main et qu'on rampe ensemble hors de la salle à manger, DJ Cormoran fait des bonds sur place en applaudissant vaillamment : la sono attaque plein pot I'll Be Your Baby Tonight.

DEUXIÈME MANUSCRIT

Deuxième Partie

Voilà ce qui a dû se passer une fois de retour dans ma chambre : j'ai dit à la fille « Si tu quittes tes chaussures et tes chaussettes, je verrai si t'es comme moi ».

Plantée dans le costume foutu qui était mon dernier, elle lève le bras pour s'enlever du cou une peau de haricot rouge. Je regarde les écaillures de vernis au bout de ses doigts. Je dis : « Au début je croyais que c'était parce que tu avais tout perdu quand le petit ferry a coulé, ensuite j'ai compris que tu t'accommoderais pas des vexations de Fraternité, des fringues qu'il t'achète, à moins, ben à moins d'être fauchée. J'étais là à pas pouvoir dormir, à tâcher de deviner pourquoi tu t'accommodais de tout ça jusqu'au moment où j'ai compris que t'avais pas le choix. Voilà pourquoi, si tu quittes tes chaussures et tes chaussettes je crois qu'on verra que tu t'es mis du vernis aux ongles de pieds. Pas sur ceux des mains : ça serait trop voyant, le vernis de ces jeunes mariées c'est le premier produit de maquillage que tu sois arrivée à te procurer depuis que t'es là. »

Je quitte soutien-gorge et rembourrage.

Elle fait oui de la tête et s'assoit au pied du lit.

Finalement elle dit : « Tu crois qu'il va prévenir la police ? »

Je me marre, et je la regarde.

« Emmm, faut que je prenne une douche », elle

hausse les épaules, se lève. « C'était mal vu de lui mettre un pain. C'était... Mmm. Trop tôt. Il va te foutre dehors. Et du coup je me retrouverai toute seule ici. Quoiqu'y en a un au sommet de la montagne là-haut qui nous lâche pas du regard : peut-être bien qu'il te ferait une place dans sa tente. Mais bon, peut-être pas.

— Il voudra pas. » Je pense à l'Avocat du Diable, étendu dans le noir à l'heure qu'il est, sur le mélèze horizontal proéminent, celui en travers duquel Carlton est mort. L'Avocat du Diable doit reposer là, environné de flaques noires, trous amphibies qui miroitent sous la lune dans les terres giflées de pluie. Il darde un regard furibond vers les gazouillis du clair d'étoiles, carabine, semi-automatique ou machette affûtée de frais par le Raiguiseur itinérant serrée d'une poigne ferme contre sa poitrine charnue, allongé dans le sens de la pente pour que lame ou canon repose sous son menton pendant qu'il attend, guette l'heure de sortir de sa tanière pour descendre dans les enclos qui entourent l'hôtel.

À neuf heures du matin j'entends sonner le timbre en cuivre qu'il y a sur le comptoir de la réception en bas dans le hall au rez-de-chaussée. La comédie du départ de la fille est lancée et l'acrimonie poussiéreuse du timbre inutilisé est une belle trouvaille de sa part, n'importe quoi qui puisse griffer plus profond dans la chair du matin : n'importe quoi qui nous permette d'utiliser les accessoires et le décor qui nous entourent dans cette folie de plâtre et lambris de bois sur fange en dépôt.

Fraternité avec un œil au beurre noir bleu et jaune est derrière le bar, à servir des friands au jambon aux plus courageux des jeunes mariés, mais en même temps qu'il plie calmement le torchon et m'adresse un regard de défi, il prend note des témoins qui l'entourent. Le temps qu'il contourne le bar je suis debout.

« 'Jour », je lance, à mi-descente de l'escalier-spirale, puis je vais jusqu'au lierre oublié dans sa jardinière et je m'appuie, le soleil vif dans le dos.

La fille est plantée devant le comptoir, la musette appuyée contre la jambe. Je lève la main et je décolle quelque chose qui est resté pris dans les tournants de mon oreille gauche : un petit bout de sauce chili sèche, presque noire, se détache. (En me douchant, hier soir, j'ai retrouvé des demi-haricots dans le trou de la bonde.)

Fraternité s'amène dans son dos puis il prend son poste derrière le comptoir. La radio aérienne barigoule la fréquence d'un long-courrier d'altitude en train de survoler l'Atlantique, des kilomètres au-dessus de nous.

« On nous quitte ? » il couine, avec un tel entrain que son visage tuméfié doit lui faire mal.

La fille fait oui d'un hochement de tête.

« Alors, chambre 15. » Fraternité exhibe le mince feuillet que je vais examiner dans l'après-midi avec les chiffres 665 £ inscrits au bas.

« J'ai pas de fric, elle dit la jeune femme.

— Plaît-il ? » Fraternité roule les yeux et sourit.

Pour la gouverne des oreilles à présent attentives quoique nouvellement mariées donc censément fermées au reste du monde, à l'étage au-dessus, la fille répète : « J'ai pas de fric : dans les dix-sept pence au fond de la doublure de mon vieux blouson.

— Ah, alors vous avez l'intention de me poster l'argent dès que vous aurez atteint votre destination ? » il hausse les sourcils, littéralement comme s'il lisait sur un prompteur installé dehors sur le gravier ensoleillé, derrière la vitre sale dans mon dos.

À ce moment-là, en misant tout sur ces intuitions qui dictent ce qu'il va faire... peut-être même déjà assez fine pour prévoir tout ce qui nous attend, elle dit : « J'ai pas de destination.

— Dans ce cas comment avez-vous l'intention d'acquitter votre dette ?

— Je pourrais pas faire un peu de vaisselle ? »

Fraternité gonfle la lèvre inférieure et du bout des doigts, en feignant de ne pas se souvenir du chiffre inscrit, il fait lentement pivoter le feuillet de façon à le voir dans le bon sens. « Mmm-hum », il fait, pensif, ramasse le feuillet, s'accoude sur le comptoir, et de telle manière que ça doit frôler le sein gauche de la fille, enfouit douillettement la note au fond de la petite poche qu'il y a sur le devant de la chemise d'homme qu'elle porte.

« Suivez-moi », il dit avant de se diriger vers la porte principale ; grande classe, et du coup ça me prend au dépourvu, il marmonne sans me regarder : « Toi avec. »

Le barda de Macbeth est entassé dehors au soleil, et le cuistot le transporte dans une brouette tachée de ciment à travers la plantation de sapins jusqu'au bout de l'aile neuve.

« Vas-y Macbeth, continue fils, c'est fini pour toi les transistors humides : chambre 16. Vous deux vous avez qu'à vous battre pour décider quelle caravane vous voulez, les deux sont pourraves. Vous allez pouvoir peaufiner ensemble votre dégoût de vous-mêmes là-dedans. Remerciez-moi : l'été arrive.

— Fraternité, je lance, et mon boulot ?

— Quel boulot ! il braille. Merde, moi aussi mec, je préfère la liberté qu'y a dans mes rêves, mais toi t'es cinglé. » Il regarde la fille, répète : « Il est cinglé : Japon, Boeing, tôles flexibles ; il ment comme il respire, tout ça c'est du même tonneau que le flan qu'on débite à un fouineur de coiffeur dans une ville où on remettra jamais les pieds... tellement que t'en débites des conneries, que ça te pend au nez comme un chapelet de saucisses. » Il se marre et s'éloigne à grands pas en criant : « Vous pourrez prendre des douches quand y aura une chambre libre si personne doit venir s'y installer. Macbeth vous mettra au parfum pour les cuisines et vous », il braque l'index en direction de la fille. « Pourrez vous faire la main en changeant tous ces draps nuptiaux chaque matin. »

Une heure plus tard nous voilà posés chacun dans sa caravane la fille et moi. Assis sur la couchette noyaux de pêches, tout en frottant du plat de la main les petits poils qui commencent à pousser sur mes tibias j'entends les chocs et les grincements à mesure qu'elle va et vient à côté dans un effort émouvant pour mettre en ordre ses quelques affaires.

Mercredi Onze

Le violet ecchymose des tapis de campanules commence à sortir sur les pentes au-dessus.

Je passe par le porche imitation Mexique, le trajet du matin à pied depuis ma caravane marquant la distance instituée, d'une manière révolutionnaire, entre moi-même, la fille, et nos ex-compagnons de dîner du Salon d'Observation, là-haut : aucun des couples n'arrivant à assimiler le soudain échange de statuts qui s'est produit, conscients que de telles révolutions risquent de les attendre au tournant.

En partant m'installer dans la caravane je n'avais rien à déménager. Quelques mélodies bien martelées dans la caboche, quelques paires de pompes et chemises fatiguées voilà tout ce que je laisse en guise de souvenir au monde, mais j'ai compris une chose, elle vaut bien mieux que ce monde, bien mieux.

En passant sous le balcon, j'entends le cliquetis crétin, frénétique des écuelles de céréales. Sourire aux lèvres, je prends mon parti de cette toute dernière chierie de la destinée et je m'engouffre dans les portes battantes des cuisines : je vois la coulée de lumière qui ruisselle entre les barres horizontales de la fenêtre, je vois la vaisselle qu'elle a empilée après les dîners d'hier soir, je vois les câbles gais, colorés qui rebiquent à l'arrière de la friteuse neuve pas encore raccordée.

Elle doit être en haut depuis ce matin huit heures avec la nouvelle mini-jupe, les bas opaques et le pull qu'elle insiste pour garder : tout ce que Fraternité adore appeler « Votre uniforme ». Elle doit être en train de servir au buffet du petit déjeuner, thé et café surtout, sans plus.

Je sors le gros bout de beurre du frigo et je le pose à côté de la machine à portions. Je relève les deux agrafes alu de sécurité et le capot moulé puis je fourre le beurre dans la cuve. Je remets le capot en place, rattache les agrafes de sécurité ensuite, à deux mains, je tourne la manivelle lentement mais fermement. Le pas de vis va écraser le beurre contre le fond de la cuve où deux petits trous à bord cranté l'expulsent en longs boudins pendants, débités par un fil qu'actionne en même temps la manivelle à presser. Les portions de beurre débitées tombent dans un saladier Pyrex plein d'eau.

Une fois le bout de beurre passé je remets le saladier au frigo après y avoir ajouté un bac de glaçons. Je vais jusqu'au vieil évier énorme et moche, tout ébréché et fissuré, j'ouvre le robinet d'eau chaude — tellement loin qu'elle, avec le dos bien droit, elle a presque du mal à l'atteindre du bout de son gant rose en caoutchouc. Je remplis la cuve rayée en plastique gris d'eau bouillante et ensuite je tempère en rajoutant de l'eau froide. Quand j'y plonge les pièces de la machine à portionner, des archipels iridescents remontent une fois que les bulles du produit à vaisselle bon marché se sont dissoutes.

Les cuisines gardent une odeur douceâtre comme celle qui flotte dans les boucheries en été : la même que quand les rangées de chaussures, semelles crottées de sauce chili, se sont retrouvées alignées tout le long du couloir pour le nettoyage. (Fraternité a emporté le tas complet au Lavomatic Bleu des Endroits Éloignés, il a fourré toutes les pompes dans une machine puis il est resté adossé contre la porte du sèche-linge à tambour pendant que ça brinquebalait là-dedans.)

Tout frais sorti de mon ancienne chambre Macbeth s'amène et me désigne le sac à patates d'un hochement du menton.

« Ouais-ouais », je réponds.

La fille entre par la porte latérale et commence à débarrasser la vaisselle propre qu'il y a sur la paillasse de l'évier.

« Dis donc, Macbeth aux mille gamelles, t'es vraiment obligé de prendre une nouvelle poêle chaque fois que tu fais des œufs brouillés ?

— Toi ramène pas ta grande gueule. Au boulot. Et toi pareil, le porteur de patates. »

Je transporte le sac jusqu'à l'évier et je commence à passer les patates sous l'eau glacée du robinet, en frottant avec le pouce pour virer les pastilles de boue gluante de la chair blanche et rose. Je laisse tomber les propres qui cognent au fond de l'évier.

La fille me regarde. J'apporte à l'éplucheuse les pommes de terre lavées, je les verse dedans en basculant la bassine et pour fermer son clapet à Macbeth qui affiche un rictus, j'appuie sur l'interrupteur et ça commence à balader les pommes de terre contre les parois granuleuses comme du papier de verre.

« Vous figurez pas que vous allez faire la loi à ma place... »

Plus tard, après les dîners, le bruit de son pas quand elle revient dans sa caravane : elle inhale à fond la vraie misère de ces terres, mais le fait à une cadence mesurée, grâce à laquelle elle a appris à tenir la rage en respect sans se laisser engluer comme par ces grappes d'œufs de poisson orange agglutinés après les verres d'une paire de lunettes de soleil — ce qu'elle voit dans certains des cauchemars les plus récents qu'elle me raconte quand on s'assoit sur des caisses de Schweppes devant la porte de sa caravane, pendant que des averses d'été légères se déplacent dans les montagnes, l'endroit du nouveau camp de l'Avocat du Diable bien visible, et elle tortille des tiges d'herbes entre les doigts pour en faire des boulettes qu'elle jette en direction de rien. Elle se mettra sous les couvertures, une fois la porte bien fermée à l'aide d'un bout de fil de fer. Au début je ne comprenais pas mais maintenant je sais. Elle va rester allongée à contempler un plafond arrondi identique au mien, à sourire, à tuer le temps, avec le réveil emprunté qui fait tic tac à côté d'elle.

Compétition
de
Piqûres de Moustiques
Vendredi soir 7 h

Compétition Torse Nu
ouverte aux Maris et Femmes

Épreuve d'endurance au moustique local :
L'aoûtat. Les candidats devront passer une
heure assis torse nu dans la plantation de
sapins. Le gagnant sera couronné au plus
grand nombre de cloques.

Premier Prix 500 £

JOHN FRATERNITÉ

Un autre été arrive, les étés je savais me débrouiller pour aimer ça avant. Le point noir de l'avion radioguidé de Macbeth grimpe plus haut que jamais dans le ciel sans nuages. De l'autre côté du Chenal, les cimes qui n'ont pas été visibles de tout l'hiver se découpent dans le lointain lumineux. Fraternité tond le champ d'aviation, assis, sans chemise, sur la tondeuse ; des couples de jeunes mariés atterrissent ou repartent, les couleurs vives de l'avion passent au-dessus de l'écume blanche du ferry d'été qui traverse le Chenal plusieurs fois par jour.

Du fond de ma bêtise, emprisonné avec la fille dans nos caravanes, elle avec les cheveux attachés sur la nuque parce qu'elle ne peut pas les laver si souvent que ça et le pull avachi malgré la tiédeur, la tondeuse de Fraternité qui bourdonne au loin... au milieu de ces bêtises (comme elle dirait) je croirais presque le bonheur possible !

Le soir de la compétition d'aoûtats les occupants de l'hôtel se rassemblent, quelques femmes et maris battent en retraite vite fait pour observer la suite de l'épreuve d'endurance depuis les fenêtres du Salon d'Observation.

« Pas de femmes ? Pas de femmes ? » il crie Fraternité. Il se tourne pour regarder la fille qui se tient debout à côté d'un arbre, indifférente. « Allez je vous donne l'occasion de pouvoir acquitter vos dettes, nénette. »

Elle lui tourne un sale œil, le teint terreux, comme si l'incommensurable rata de Macbeth lui remplissait les joues, une fureur adolescente sous des sourcils noirs : « Mettre les seins à l'air et se faire bouffer les nerfs par les bestioles pendant que vous, vous serez planqué dans l'escalier à vous astiquer la nouille ? »

Je me marre et quelques-uns des couples pouffent nerveusement. Fraternité incline la tête en souriant avec une incroyable affection faux cul à la fille dans son gilet volontairement moche.

Elle est encore jeune, peut subir et survivre à la désolation où elle marine pour le moment.

« Et notre costaud des cuisines ? »

Je hausse les épaules et ôte ma chemise, l'orange en coton brut qui appartenait à mon père, j'en reste persuadé, en la passant par la tête, comme ça quand le col se dégage de mes cheveux ébouriffés j'ai toujours les yeux braqués droit sur Fraternité qui, sans lâcher mon regard, comme si on était au beau milieu d'un film marrant qui brasserait tout de même quelques belles idées, dégrafe d'un doigt les boutons de sa chemise et s'avance vers le centre des sentiers goudronnés.

Je m'avance aussi à l'endroit où Shan se tient, les cordes à la main. Il n'a pas de cigarette au bec : il s'est enduit le visage de paraffine, Risque d'Explosion.

« Vous êtes qu'une bande de jaunes », je lorgne d'un sale œil les connards de jeunes maris debout (« plantés là », comme elle dirait), en train de regarder.

Un des jeunes types couine comme ça : « Il a dit que les pensionnaires pouvaient pas participer », en désignant Fraternité d'un hochement de tête.

« Ben, je voulais jouer contre toi et elle, et puis ceux-là, ils seraient foutus d'exiger le remboursement des fois qu'ils se fassent piquer sérieux », Fraternité tend les bras derrière son dos et Shan commence à les lui ligoter. Une nuée d'aoûtats est déjà en train de se presser autour de moi.

Fraternité se laisse tomber assis par terre en tailleur. Je l'imite... face à lui. En quelques minutes des myriades de petits insectes s'agglutinent autour de mes narines pendant que Shan s'agenouille, aussi puant que la lampe tempête qu'on prenait pour éclairer notre cabane au fond des Bois du Diable quand on jouait aux commandos. Il m'attache les mains et je m'assois.

Le temps que Shan se recule de nouveaux aoûtats se massent près de mes oreilles, foncent sur la peau fine de mes paupières fermées, me tapissent le dos, cavalent, me chatouillent et mordent le torse et l'abdomen... là où la peau est le plus tendre.

J'ouvre les yeux. Dans la lumière du crépuscule on distingue les nuages grouillants qui auréolent le torse nu et la tête de Fraternité ; un masque tournoyant noir lui recouvre le visage et je me rends compte que le mien aussi doit être pareil : une nappe noire de petits bestiaux écumeux. Je grince des dents, sachant d'expérience qu'on risque de se faire méchamment piquer, mais que seules les quelques issues mystérieuses d'où poindra le sang s'épanouiront en ces petites cloques roses qui seront décomptées à la fin.

On entend les gémissements pleutres des derniers mateurs sacrément sadiques en train de fumer et d'agiter les mains comme des fous là-bas, près du grand sapin, le plus ancien.

Tout à coup je vois la tête de Fraternité basculer en arrière (les yeux ouverts tout du long) et la bouche béante — rouge/rosé clair avec les dents blanches qui s'étirent dans un rire méchant, silencieux — un infect matelas d'aoûtats jaillit en l'air autour de lui puis son visage se fige, l'air mort.

Au coup de sifflet Shan me fouette avec une serviette de toilette, me détache les mains et je m'étrille des pieds à la tête pendant qu'un hourra s'élève derrière la vitre de la fenêtre panoramique. Fraternité fonce à la barrière enduite de grésil, l'enjambe, traverse la piste à fond, dévale la berge et du coup disparaît.

« Je l'ai vu », il murmure Fraternité en haut dans le Salon d'Observation. Au début je n'entends pas, je m'approche un peu plus : il a les cheveux aplatis par l'eau de mer et pour soigner son effet il tient à la main un brin de varech mou qui pend sur la moquette orange. Ses bouts de seins sont flétris de froid — les couples applaudissent — il a tellement de piqûres que ça forme quasiment une seule cloque. Ses lèvres articulent quelque chose alors je vais plus près. Plusieurs personnes lui parlent en même temps ; il vacille un peu pendant que Mrs Heapie le pousse d'avant en arrière à mesure qu'elle coche les piqûres avec un feutre et qu'ensuite Shan les note dans le registre.

« Soixante-sept... soixante-huit... »

Fraternité approche les lèvres de mon visage :

« Je l'ai vu : la gueule bleue... »

Macbeth enfonce le stylo bien fort dans ma peau en commençant le décompte.

« Tu l'as vu ?

— Je me suis roulé dans le varech près de la jetée, puis relevé et j'ai secoué la tête, quand j'ai fait demi-tour il était là, en train de s'éloigner dans la vapeur. Tel que tu l'avais décrit. »

Je hoche la tête d'un geste bref, en regardant de biais pour voir où en est mon total.

« Dingue, comme impression. »

Le compte est fait. La fille est partie avant que les chiffres soient annoncés. C'est flagrant. Fraternité en aligne 67 contre mes 43.

« Je me serais bien empoché la thune.

— Oh, sois pas ridicule, tu sais bien que tu peux te tirer d'ici quand ça te chante. » Il est appuyé contre le bar, la chemise renfilée mais pas boutonnée, avec le plastron côtelé coincé en accordéon sous les bras. « Tu te prêtes à la farce au même titre que moi : je ferai pas venir les flics, ils me débectent les flics ; ça t'amuse autant que moi, de jouer à ça, autant qu'elle. Bon allez », il commence à reboutonner sa chemise, « je monte causer un peu à mon père. »

Mardi Deux. Lune en Capricorne

Je suis allongé dans le noir quand j'entends les pas de la fille traverser le terre-plein, amortis un instant quand elle passe derrière les bouteilles (pas raccordées) de gaz, contourner ma tête et marquer une pause devant sa caravane. Je remarque de plus en plus cette pause à mesure que l'été s'écoule alors que la date à laquelle on devait être quittes envers Fraternité est dépassée et tombée dans le silence de l'oubli.

J'entends ses grincements à côté puis le bruit de la moto du Raiguiseur s'amène dans l'allée du coup me voilà en train d'enfiler mon pantalon, en flairant du danger.

Ça me consterne qu'au lieu de continuer jusqu'au porche le Raiguiseur tombe sa béquille de moto d'un coup de pied avant de couper le moteur tout près des caravanes.

Ses bottes se dirigent d'autorité vers la caravane de la fille et il frappe.

« Allez vous faire », elle crie la fille.

Le bruit des bottes reprend et je tire fort sur ma porte qui s'ouvre en raclant le plancher raboteux. Je salue le mec d'un signe de tête : il a des badges, bouts de barbelés, anneaux de canettes plus une espèce de bestiole racornie genre musaraigne, accrochés à son blouson de cuir.

« J'ai trouvé l'hélice, il dit.

— Entre. » Je souris au type grisonnant qui me fait face. Je jette un regard à la ronde, mes quelques affaires, le CD brillant de la fille que je garde en guise d'unique ornement de ma misère.

« Je suis pas intéressé, j'annonce.

— De quoi ? T'as dit que si... Écoute voir, moi ça me branche pas de venir ici de nuit...

— Ah. Pourquoi ça ?

— Les extraterrestres, mec. J'ai même entendu dire que Fraternité a vu un fantôme ici cet été d'ailleurs il arrête pas d'en causer. Putain mec, c'est pas le bon site pour une rave-partie, qu'une fois que t'es en plein délire tu captes toutes les vibrations. »

Comme je suis tourné je l'entends dire dans mon dos : « L'hélice elle est à la baraque de l'Argonaute là-bas dans les Nouveaux Lotissements...

— Baisse le ton, je dis.

— Scorgie l'Argonaute, mec, avant il jouait de la batterie avec les Big Wet Knee. Je crois qu'il te la file-rait pour mille mais moi je veux une part aussi, mec. Putain merde ! J'aurais pas dû te le dire où qu'elle est cette hélice. Quel couillon je suis...

— La nénette tâche de dormir. » J'esquisse un hochement de tête. « Quelle heure il est ? »

Il appuie sur le bouton d'une montre à cristaux qui lâche un bip : « La demie de deux heures du mat'. Je rentre tous mes renseignements dans cette montre, mate, mate... ça me les affiche, j'ai toute une chiée de trucs programmés là-dedans... »

J'ouvre le tiroir où sont rangés passeport, permis de conduire et l'unique faux formulaire de réclamation du ministère des Transports, puis je fourre le tout dans ma poche de froc. *Pourquoi pas, un ultime pari saugrenu. Faire semblant de jouer le jeu, peut-être dégoter un peu de bouffe mangeable. Devrait être faisable, la traversée en une nuit. Et puis bon, ça fait des mois que je me fais chier ici et je m'en fous, d'elle : elle est comme toutes*

les autres. La demi-pulsation blasée que j'appelle
amour, je la torcherais de la même façon que je torche-
rais mon sperme sur sa cuisse avec un mouchoir.

« C'est pas ce coin en bordure de mer, les Nouveaux
Lotissements, plus loin en partant de la Cale au Ferry ?

— À la Pointe Inaccessible, les baraques ont toutes
été financées par la Société Insulaire de Promotion des
Pêcheries mais l'Argonaute c'est lui qui a construit la
sienne : oh tu la repéreras, ça ouais.

— Y va falloir que je vérifie l'hélice. Comment je
vais savoir si c'est la bonne maison ?

— T'as juste qu'à te rappeler le Raiguiseur », il sort
de la caravane à reculons et s'en va en poussant sa
bécane pour la démarrer tout au bout de l'allée.

Vendredi Trois. Aurore

Du coup, je franchis les montagnes. Je n'ai aucune intention d'aller dire au revoir à la fille. Je laisse le CD dans l'herbe veloutée de rosée devant sa caravane, je tourne la tête face à la brise qui arrive du Chenal. Je marche sans me retourner, je grimpe en m'éloignant de la Cote 96.

Quand j'arrive au camp de l'Avocat du Diable on dirait qu'on n'y a pas fait de feu depuis des jours. La fermeture Éclair de la tente est remontée et bouclée avec un petit cadenas comme on met sur les valises. Je ramasse un morceau de bois carbonisé noir et dur pour déchirer le tissu puis je lacère. À l'intérieur ça sent le biscuit Ritz rassis. Il y a quelques livres. Le *Dictionnaire Penguin des saints, Qui a enlevé la pierre,* de Frank Morrison, le livre d'Aleister Crowley sur les tarots égyptiens et un exemplaire de *Viz*, la BD.

Plus haut dans les montagnes tout commence à bourgeonner, les arbres constellés de feuilles pas encore ouvertes pareilles à des mains jointes, en prière. J'entends la vitalité gaillarde d'un cours d'eau plus loin tout en avançant au milieu des jeunes arbres, je tourne d'abord par-ci puis par-là, en me courbant pour éviter les branches les plus fournies.

Je dors dans la combe que les forestiers sont en train de dégager, dans un bosquet de mélèzes, en me réveillant au moins toutes les heures. Quand il fait jour je marche en repérant à mon ombre par terre les taons ou les gros insectes qui viennent bourdonner dans mon dos.

Fraternité m'a raconté comment les pentes ont été boisées : le canon du navire de guerre tracté jusqu'en haut et les montagnes bombardées à longueur de journée de graines, spores et pommes de pin en guise de grenaille : « Les pentes étaient zébrées de fumée de canon mais il sortait des fleurs et des arbustes de cette jolie guerre. »

L'après-midi du deuxième jour je débouche sur les rochers en surplomb loin au-dessus des Nouveaux Lotissements : une grappe de maisonnettes massées autour d'une plage de galets, qui ont toutes l'air inondables par les marées, et en retrait une maison plus basse plus étirée, entourée d'un mur, et dont les tuiles accrochent la lumière. Les détritus habituels de l'île traînent à la lisière de marée haute : jerricanes rouillés, filets, bourriches et canots retournés sur l'herbe pour protéger de la pluie. Juste à la limite de la pleine mer on voit les points vifs roses et orange des bouées de corps-mort. Quelque chose d'autre, plus loin dans les eaux de la baie : sur un radeau.

Je descends en suivant le sentier tortueux jusqu'aux champs clôturés au-delà des arbres. C'est là que j'entends la frappe, carrée et parfaitement audible sans accompagnement, puis le fracas d'une cymbale : quelqu'un en train de jouer de la batterie.

En scrutant l'horizon à l'endroit où la mer va toucher le ciel du soir j'aperçois le scintillement d'un charleston. Là-bas au large flotte un petit radeau avec dessus une batterie qui a dû être clouée ; un type avachi sur un tabouret en train de frapper un rythme de rock bien carré. Le radeau-batterie est amarré au rivage par une longue corde nylon. Il tangue légèrement au gré de la houle molle.

Je marche peinard en direction des maisons, et je ne tarde pas à reconnaître la baraque de l'Argonaute. Elle est entourée d'un muret à mi-hauteur : le muret émet une drôle de lumière avec le soleil derrière et d'un coup je me rends compte qu'il est entièrement construit avec des bouteilles de bière vertes et marron assemblées au ciment. Je lève la tête pour regarder les tuiles du toit qui étincellent aussi dans l'azur de l'après-midi — le toit a l'air crépi de coulures de peinture — jaunes, rouges, ocre et roses qui accrochent la lumière.

J'approche d'une fenêtre à double-vitrage crasseuse puis j'essaie de voir au travers mais tout ce que je discerne c'est quelques bouteilles de plongée alignées contre le mur. En me baladant autour du grand pavillon : coupole satellite accrochée après un pignon au-dessus de l'appentis qui abrite un compresseur à remplir les bouteilles de plongée. Dans le jardin d'à côté deux petits gamins restent plantés sans un mot à côté d'une balançoire rouillée, à m'observer droit dans les yeux.

Pendant que je regarde par la fenêtre je prends conscience d'un changement dans l'atmosphère qui m'environne et je me rends compte que la batterie s'est arrêtée. Je scrute le large : la silhouette se redresse vite fait sur le radeau, la corde gouttelante juste à côté des fûts se détache de la surface et la silhouette s'en sert pour se haler à terre, vers le rivage. Une fois plus près le type attache le radeau-batterie, s'installe dans un petit kayak amarré et commence à pagayer dans ma direction.

« Salut », je crie.

Le nez du kayak frotte sur les galets. Je vois, écrits au gros marqueur argenté tout le tour de la fibre de verre orange cabossée, des versets soigneusement calligraphiés... « Ils pleurent et se désolent sur elle, les trafiquants de la terre »... c'en est un que j'arrive à déchiffrer.

Le type met le pied à terre en immergeant ses deux

bottes par-dessus bord, mais il ne cille pas, il se contente de me fixer du regard ; il porte une veste de plongée par-dessus un T-shirt sur lequel est écrit : *Je Déteste Oasis.*

« Je cogne *à fond,* mec. Je suis obligé d'aller jouer loin là-bas sinon les gosses des voisins peuvent pas dormir : à la batterie je cogne à fond, mec !

— Exact, je hoche la tête.

— Jazzrockfusion c'est mon truc putain, vu ? Mouzon, Cobham, Williams : qui c'était le meilleur, ça c'est la question, vieux, celle que je pose pour savoir à qui je cause. D'après toi, c'était qui le meilleur batteur ?

— Ah, je suis pas trop ce qui se fait en musique. Verve, c'est pas mal.

— T'es de la ville ?

— Du Continent.

— Pas bon ça, vieux. » Il s'extirpe de la flotte et s'amène en chaloupant sans s'arrêter de hocher la tête.

« J'ai cru comprendre que t'aurais des débris susceptibles de m'intéresser : une hélice d'avion ?

— Des débris. *Des débris,* c'est ça ? On est du genre collectionneur, hein ? C'est les trésors engloutis ton truc à toi, les *ducats* en or, les *plats* en argent ? Ou alors t'es le gars pas compliqué, franc du collier, qu'aime mieux fourrer son pénis pas propre dans la bouche des petits enfants ? »

Je recule d'un pas mais il me passe devant en patouillant et il dit : « Quand nos mythes deviennent fadasses, faut les requinquer. Tu piges ? »

Je hausse les épaules.

« Les re-quinquer », il marmonne, puis il ricane. D'un coup il pivote et tend le bras vers une construction en ferraille et planches amarrée au large de la pointe rocheuse. « Y a des crabes noirs dans mes casiers. Pas mal de fric par crabe mais y a quelqu'un qui me les fauche et c'est pas les phoques : les phoques c'est mes potes, quand je tape bien, carré, ils sautent sur mon radeau. Un phoque c'est capable d'aspirer le poisson à travers le filet et un aigle ça ramasse un agneau au milieu d'une terre où la mort fait pas de pitié. Comment t'es arrivé ici ? » il fronce les sourcils.

Je hausse les épaules : « Je suis en route pour la Cale au Ferry plus loin le long de la côte, je voulais juste jeter un coup d'œil à cette hélice par curiosité.

— Bon alors tu sais ce qui est arrivé au gazier.

— Tu l'aurais pas trouvée dans les cinq cents mètres au large à quelque chose comme un kilomètre et demi au sud de l'extrémité du terrain là-bas au Drome ? »

L'Argonaute s'éloigne.

« Mr Scorgie », je lance.

Il se dirige vers le bout de la plage de galets à l'endroit où une anse rocheuse surplombe ses casiers.

Très noir, puis la lueur du phare au sommet du clocher du Centre d'Été, qui enfle et qui meurt doucement. Par moments, j'arrive à voir la ligne blanche d'une crête de vague et d'écume approcher des rochers.

J'entends glouglouter le whisky au moment où il incline la bouteille dans le noir, une de chez Spar ou Coop. Je vois le pinceau de lumière du clocher qui galope dans notre direction à la surface de la mer : ça nous explose aux prunelles puis ça repart en à-coups balayer le plateau rocheux dans notre dos. Je ravale un peu de bibine et je dis : « Ça me brancherait bien un cigare.

— *Un cigare,* hein ? il grommelle l'Argonaute.

— Ces rochers moi ça me défonce le cul, je suis crevé et j'étais en train de me demander...

— Mate, mate, tu le vois... tu vois ce truc là-bas au large ?

— De quoi ?

— Là-bas au large, à quèque deux kilomètres, quèque vingt-cinq mètres de fond... attends voir, attends que la lumière soit passée. » Le rai blanc du phare vient frétillonner autour des casiers, illumine la main courante des sentiers de marche. « Tu les vois toi aussi ? »

Je contemple la noirceur et alors je distingue, visibles aux endroits bombés de la marée basse, des lumières, des torches électriques sous l'eau. « Je les vois, moi aussi je les vois », je fais presque tout bas. Elles avancent très lentement en direction des casiers.

« Tu les vois, hein ? » L'Argonaute se marre et se lève.

« C'est quoi ?

— Des plongeurs : la petite maison de vacances là-bas de l'autre côté de la pointe. Ils ont coupé le grillage du fond des casiers. Tiens. »

Il me passe un petit pétard qu'il avait dû planquer sur place. La fumée d'herbe me descend dans le gosier, nette fluide et fraîche à point. L'Argonaute tire sa taffe puis il dévisse le bouchon et boit une goulée d'eau de sa thermos. « Mélange cognac et flotte », il explique. Il se lève et lance : « Amène-toi que je t'emmène boire une bière. Tu te trouveras un cigare au pub. »

Je saute sur mes pieds et je commence à descendre des rochers à sa suite dans l'obscurité, sous les étoiles qui tremblotent faiblement au-dessus de nos têtes.

Je dis comme ça : « Je pensais pas qu'y avait un pub de ce côté-là de l'île », en suivant l'itinéraire tordu de l'Argonaute qui prend par un sentier à pic, la roche à nu qui s'effrite sous mes pompes. A ce moment-là j'entends un clapotis d'eau pas profonde et l'Argonaute ordonne : « Grimpe là-dedans. » Il a l'air accroupi et je me rends compte qu'il est assis dans un petit canot hors-bord amarré aux rochers. « Ah ben, ouais. » J'enjambe le plat-bord et je pose un cul pendant que le moteur crachouille au démarrage et se met aussitôt à rugir pleins gaz. Le canot bondit, s'élance au-dessus des flots noirs : mes épaules cognent les planches et l'espace d'une seconde muette je vois ma jambe se dresser toute droite avec ma pompe à coque acier qui salue le mince croissant de lune.

« Putain de *Dieu*. Tu vois où tu vas ? » je gueule au ciel nocturne.

La voix de l'Argonaute surgit de l'obscurité : « Toi reste vautré et profite de la balade », et comme je suis défoncé à plus en pouvoir c'est ce que je fais. La joue contre la paroi intérieure du canot, je vois les étoiles tournoyer lentement dans le ciel au-dessus de moi, et je sens le grelottement vif de l'eau en dessous.

Quand je me rassois on est en train de décrire une grande courbe large, et ça laisse derrière nous un arc d'écume illuminée de lune. Il y a un attroupement de lumières sur la plage. Bien que j'aie fait le vœu d'explorer chaque centimètre carré de l'île quand j'y ai débarqué, cette partie-là je ne l'ai jamais vue.

L'Argonaute coupe les gaz et la proue du canot retombe avec grâce. Je vois un unique bateau de pêche amarré au quai. Notre canot passe devant sur sa lancée et se faufile vers l'intérieur du port sur le côté du quai où il y a une petite rampe d'embarquement en pierre. L'Argonaute amarre et on remonte sur la terre ferme.

Je regarde au bout de la rampe en direction d'un bâtiment où des projecteurs jaunes braqués en l'air illuminent une enseigne sur laquelle on lit :

HÔTEL-BAR EXTRÊME BORD

Garée devant, avec deux mecs appuyés contre, les coudes sur le toit, il y a une Opel Manta argent customisée avec jantes chromées, antennes-joncs et antibrouillards. Il y a six ou sept grosses bougies posées sur le toit : à la lumière des flammes la bagnole ringarde devient étrangement belle, comme si on allait s'en servir dans je ne sais quelle procession religieuse.

L'Argonaute soupire : « Ah tiens, les ramasseurs de bulots doivent être de sortie. En voilà quèques-uns qui rentrent. »

Je tourne la tête : je distingue une paire de phares de voiture qui traverse les flots noirs en direction de notre plage mais il n'y a ni route ni pont tout là-bas, rien que de l'eau noire, et pourtant il y a ces phares qui avancent à la surface de la mer.

L'Argonaute explique : « C'est un genre de jeep amphibie qui peut se déplacer sur terre et dans l'eau : chourée à l'armée, à tous les coups. »

Je vois les phares s'approcher de la plage puis le véhicule grimpe sur la terre ferme avec ses roues, pendant que des grandes giclures d'eau lui ruissellent des flancs. J'entends des sifflets des cris des hou-là. Des nuées de petits points lumineux s'élancent et tombent à l'arrière de la jeep amphibie : une super grande bande de jeunes types avec des petites lampes comme les mineurs de fond, fixées au front par des petites sangles et qui bougent quand ils remuent la tête.

L'Argonaute explique : « Des ampoules halogènes. Ils sont venus pour le Festival de la Marée Basse. Ils vont aller se mettre bien *chauds* là-bas, au bar de l'Extrême Bord : trois quatre soufflettes et à l'heure de la fermeture ils filent sur la plage et ils ramassent des bulots jusqu'à ce que la marée remonte au petit matin — ils en ramènent des tonnes — tard ce soir t'entendras leurs voix, ils s'appellent l'un l'autre dans le noir. C'est une sacrée équipe : tellement faits qu'ils se prennent tous pour des figurants de *Star Trek*. Figure-toi qu'y a des gosses élevés juste pour devenir ramasseurs de bulots. »

On se dirige vers les deux types debout devant la bagnole avec les bougies sur le toit.

« Ho-là, voilà l'Argonaute qui nous fait l'honneur d'une petite visite », il lance un des types avec une ampoule halogène allumée sur le front. Chaque fois qu'il m'adresse deux mots je suis obligé de plisser les paupières à cause de la lampe qui m'éblouit en pleine figure.

« La Comète, comment qu'tu te portes vieux... il répond l'Argonaute.

— Oh-on-se-plaint-pas-on-se-plaint-pas », il fait avec

un grand sourire celui qu'on appelle La Comète. « Y a une chiée tapée de boulot avec nous autres, là-dedans. Tiens », La Comète tend le joint par-dessus le toit de la bagnole, « goûte voir un petit feu d'artifice des Plaines du Centre. »

Je fais non de la tête, du coup ça passe au mec à côté de lui.

L'Argonaute fait comme ça : « Hé : çui-là c'est La Comète, et là, c'est Superman — on l'appelle comme ça vu son mental, parce qu'y a pas grand-chose qui lui fasse bien peur. » Superman a un grand whisky à la main ; il me fait signe du menton. « Et notre pote qu'est là, c'est un gars du Continent qui cherche quèques bonnes vieilles épaves de récup. »

La Comète hoche la tête d'un air grave : « Ça se pourrait bien qu'il en trouve. »

L'Argonaute demande : « C'est la bagnole ce soir ? Elles sont où les bécanes ? »

Superman répond comme ça : « Ben cet après-midi, je rentre dans le salon et voilà pas que le connard de petit frère a démonté la Yam complète, tout étalée sur la moquette avec du journal en dessous.

— Le jour où t'es pressé ça fait un peu chier », il ajoute La Comète.

Superman le regarde, il laisse passer quelques secondes sans rien dire, puis il lâche : « Ça fait méchamment chier tout court.

— Et la Suzuk ? il demande l'Argonaute.

— Y a du jeu dans la fourche. J'ai tâché d'aller faire un tour pour tester ça sur la longue ligne droite qu'y a à la pointe. Ça a commencé d'y avoir du jeu vers les 120. J'ai tâché d'accélérer encore mais en montant à 130 j'ai trouvé qu'elle devenait drôlement dure à tenir, ça guidonnait à mort. Une fois à 150 tellement qu'y avait de battement y me fallait toute la route.

— De Dieu, là ça fait un sacré jeu de fourche, mec », La Comète hoche la tête, avec le pinceau de sa frontale qui oscille de haut en bas sur le toit de la bagnole.

Superman enchaîne : « Ouais, mais note bien qu'une fois à 200, du jeu y en avait plus. » Il hausse les épaules d'un air lugubre et lampe une goulée du whisky.

Les trois types continuent de causer comme ça un bout de temps. A un moment l'Argonaute parle d'un corps qu'il a remonté du fond de la mer, un ramasseur de bulots tombé de la jeep amphibie une année : la dernière chose qu'on en avait vu c'était sa frontale jaune qui brillait sous la nuit des flots puis qui déclinait comme une bougie à mesure qu'elle coulait plus profond, la main pâle et blanche toujours tendue.

Je dois être encore bien défoncé pour écouter leurs délires. Je regarde l'enseigne fixée en l'air après le bâtiment.

« Extrême Bord de quoi ? » je lâche tout d'un coup.

La Comète me regarde : « Extrême Bord de *tout*. » Il hausse les épaules.

« Va-t'en donc là-bas dedans te chercher ton cigare et rapporte-nous deux godets, des petits triples, un avec des glaçons, hein ? » L'Argonaute tend un billet de vingt que je lui arrache presque.

Au moment où j'entre dans le bar de l'Extrême Bord, quasiment tout le monde a sur la tête une frontale halogène allumée — chacun des petits faisceaux lumineux tranche dans l'obscurité enfumée de la salle. Je me fraie un chemin.

En m'accoudant au bar je remarque une fille qui n'a pas de frontale : en revanche elle, elle a une bouilloire électrique en guise de sac à main. Dedans je vois ses produits de maquillage et ses affaires. En observant un peu mieux je remarque qu'il y a un collant, tout en boule, qui pend par le bas d'une de ses jambes de jean.

À ma grande stupeur le serveur du bar porte une frontale lui aussi. Je lève les yeux en direction des whiskies et je lance : « Ben, deux Whyte & Mackays : triples, s'il vous plaît.

— Avec des glaçons ?

— Des glaçons dans le Whyte mais pas dans le Mackays, s'il vous plaît ! »

Le serveur me foudroie du regard, et sa lampe m'éblouit en pleine tronche.

« Hemmm, des glaçons rien que dans un s'il vous plaît. » Je regarde la cave à cigares qui ne contient rien de terrible. « Je peux avoir aussi un Hamlet, s'il vous plaît ? »

Le serveur lance comme ça : « Nature, fromage, ratatouille ou champignons ?

— Comment ?

— Nature, fromage, ratatouille ou champignons ?

— De quoi, le cigare ? » je lui demande.

Lui il fait : « Un cigare ? Ah, Hamlet ! Je croyais que vous demandiez une omelette. C'est votre accent merdique. » Il hoche la tête, pioche un cigare dans la boîte métallique et le jette sur le comptoir en même temps que ma monnaie.

La fille avec la bouilloire a les yeux tournés vers moi. Je souris et avec un hochement de tête vers la salle bondée de gens avec des frontales allumées sur la tête, je braille : « Ben putain on craint rien si doit y avoir une coupure de courant. »

La fille se contente de me regarder fixement.

« T'es là pour le Festival de la Marée Basse ? je demande.

— Je suis là pour trouver à me faire sauter : j'ai pas de jules mais j'ai une boîte de Manix dans ma bouilloire.

— Ça c'est la plus belle tirade de drague que j'ai jamais entendue, je fais.

— Qu'est-ce qui dit que c'est de la drague, pauvre connard de branleur ! » Pendant qu'elle s'éloigne je remarque qu'elle a une culotte vert tilleul qui dépasse en bas de son autre jambe de jean.

Une fois ressorti je donne leur whisky à l'Argonaute et à Superman. La Comète a roulé un nouveau joint.

J'allume mon cigare en m'avançant au-dessus de la bougie. Je sens bien que les types ont dû parler de moi pendant que j'étais à l'intérieur du bar.

D'un coup Superman explique : « On a l'habitude de mettre des bougies parce que dans le coin on arrête pas de décharger les batteries en laissant les phares allumés.

— Très joli », j'affiche un pâle sourire, en regardant une bougie vaciller sous le petit verre qui abrite la flamme.

Le Superman lance comme ça : « Dites voir : ce soir ça va être chaud dans le secteur, avec les ramasseurs de bulots qui bossent. Moi je vais faire un tour de bagnole jusqu'à Sweetbay, venez avec, on pourrait se trouver du bois flotté histoire de faire un feu sur la plage.

— Que dalle, moi je reste peinard. J'ai du tafe ici », il répond l'Argonaute.

Superman se met à souffler les bougies puis à les décoller du toit de la bagnole et les jeter sur le plancher côté passager. « Je vais juste y faire un tour une heure ou deux ; ça vous dit pas ?

— Que dalle, pas envie de galérer », La Comète hausse les épaules.

Superman se penche et monte dans la bagnole. On recule tous au moment où il démarre.

Je lance comme ça : « Sweetbay... la Baie Sucrée... ça sonne marrant comme nom.

— C'est le vieux nom gaélique de la baie, il dit l'Argonaute : Sweetbay. Y a des siècles de ça un vieux a eu une vision : il a prédit qu'un matin tous les petits gosses qu'y avait là traverseraient la plage pour aller jusqu'au ras des vagues boire l'eau salée qui serait devenue sucrée ; du coup l'endroit a toujours été appelé Sweetbay. Mais quand moi j'étais gosse, en 1975, y a eu ce bateau, le *Lusitanos,* qui est allé s'échouer dans les roseaux et qui a coulé. Il transportait quatre-vingt-dix tonnes de sucre qui sont devenues épave mais invisible : tout s'est dissous. Alors pendant une semaine, tous les mioches ont pu descendre sur la plage tremper les lèvres dans l'eau de mer : elle était sucrée. »

On regarde l'Opel Manta qui s'avance sur le quai puis qui fait un virage classe, en s'arrêtant juste au ras du bord — le long nez de la bagnole qui plonge un coup sur les amortisseurs avant et les pleins phares qui se braquent au large sur les flots noirs. Le régime du moteur change au moment où la marche arrière embraie à toute vitesse, avec les feux de recul qui illuminent le mât dressé du bateau de pêche derrière. Les phares sont pointés droit sur nous alors je pose la main en visière contre mes sourcils juste à temps pour entendre un coup sourd, le cul de la bagnole sursaute, ensuite l'espace d'un instant incroyable, je vois les phares se cabrer dans les airs en lançant deux faisceaux spectaculaires qui trouent le ciel nocturne... Il y a ensuite un gros choc et je vois le mât du bateau de pêche qui s'incline légère-ment dans notre direction.

« Ouh putain de *merde*, y a le Superman qu'a fini par plonger par-dessus le bord du quai », il braille La Comète. Déjà des silhouettes qui cavalent le long du quai de bois en direction du bord.

Quand on y arrive on trouve l'Opel Manta qui pointe le nez à quarante-cinq degrés, le cul écrasé en plein milieu du bateau. Les roues avant reposent sur le bord du quai, le radiateur tout juste visible au-dessus du niveau des bittes d'amarrage. Superman est resté assis bien à l'aise bras croisés au volant, incliné vers l'arrière suivant l'angle : il a descendu sa vitre. « Alors qu'est-ce que vous dites de ce putain de *créneau* », il aboie, puis d'un coup il enclenche ses feux de détresse.

« Descends de cette bagnole, pauvre trou du cul », il crie l'Argonaute. « Y a les boulards qui risquent de péter et moi j'aurai plus qu'à me fendre la pêche en matant ta pomme au fond de l'eau. »

D'autres ramasseurs de bulots se ramènent du bar de l'Extrême Bord et viennent jeter un coup d'œil au bateau, avec les frontales qui lancent zébrures et ronds de lumière sur les planches du pont.

D'un mouvement lent et continu, Superman se coule sur le siège arrière, ouvre la portière et se glisse dehors, le ventre à l'air sous son T-shirt Motörhead qui remonte ; ses baskets se balancent une seconde puis il se redresse sur le pont du bateau.

La Comète prévient, dents serrées : « Le skipper Murdo va pas aimer quand y verra le caillon.

— Quand est-ce qu'y doit embarquer ? l'Argonaute demande.

— Bientôt. Avec cette marée je le vois mal attendre qu'une grue (il prononce greu-ue) s'amène du garage qu'y a de l'autre côté de l'île.

— Pas pour un tas-de-merde de frime comme c'te bagnole », l'Argonaute hoche gravement la tête.

Quelques-uns des ramasseurs de bulots aident le Superman à grimper le long de l'échelle : une fois qu'il est remonté sur le quai ils lui lancent des claques dans le dos comme s'il venait de réussir un exploit.

« Ça baigne, ça baigne », il annonce Superman.

L'Argonaute m'envoie au bar avec Superman pour lui payer un coup de raide. Le temps que quelqu'un parte chercher le Premier Second du bateau du Skipper Murdo, les ramasseurs de bulots se mettent en route en longeant le rivage pour leur bizarre cueillette de la nuit : ils sont là à crier à se pencher, un essaim en folie de minuscules ampoules qui se croisent, se regroupent et se séparent le long de la plage obscure.

On constate sans tarder que le plancher du pont est intact, aucun dégât, du coup la seule chose que Superman puisse faire c'est de regarder quand le Premier Second arrive, jette un coup d'œil à la voiture basculée, secoue la tête et dit : « Ça c'est le bouquet, alors là le bouquet. »

On largue l'amarre d'avant et la bagnole va s'écraser

sur le pont pendant que le bateau vire en direction du large.

Je reste sur le quai. Une troupe de ramasseurs et l'Argonaute avec maintiennent solidement la bagnole pendant que le bateau fait machine arrière et s'éloigne en direction du large dans le petit jour faible, méchamment incliné côté bâbord, et qu'ensuite les mecs sur le pont hissent l'Opel Manta — avec antennes, antibrouillards, volant et accessoires sport — puis que dans les trois cents mètres de profondeur, à un demi-kilomètre du quai, ils balancent la bagnole par-dessus bord : elle hésite à la surface un moment ensuite elle est aspirée vers le fond dans un tourbillon bouillonnant d'écume.

Tout le monde retourne au bar de l'Extrême Bord.

Je me réveille en entendant crier mais je n'arrive pas à me rappeler qui je suis ou quoi. J'ai quelque chose collé sur la figure. Je me rassois sur le sol dur. La douleur a l'air d'irradier de gauche à droite et retour dans ma tête. Je me souviens : j'ai retraversé jusque chez l'Argonaute. Il y a l'hélice pendue au mur de son long salon vide avec la moquette qui pue l'eau de mer, le papier peint éraflé et piqué jusqu'à mi-hauteur d'homme, les tuiles de cette baraque de dingue toutes différentes étant donné que l'Argonaute en personne les a remontées de deux bateaux engloutis avec des seaux et un palan.

Après s'être refumé un plein narguilé, La Comète et l'Argonaute ont enfilé bouteilles et masques de plongée, ils ont enfourné l'embout buccal et ensuite, l'équipement sous le bras, ils sont entrés dans l'eau pour barder les casiers à homards d'explosifs.

Moi je suis resté, à boire, pendant que leur torche se balade sous la surface de la baie. Quand j'ai besoin de me pieuter plus tard La Comète me montre du doigt le débarras : « Y a un sac de couchage là-dedans. »

Je regarde autour de moi : le long des murs, par terre et dans mes cheveux les petites billes de polystyrène se collent à cause de l'électricité statique. Le sac de couchage traîne dans un coin. La pièce n'a ni lumière ni fenêtre. Dans l'obscurité je n'ai pas vu le sac de couchage si bien que j'ai fourré mes pompes dans un sac de haricots secs, ça a éventré le fond et j'ai tiré le tissu déchiré jusqu'au ras du menton. Je trouvais ça un peu juste en me glissant dedans.

Devant la maison l'Argonaute est en train de brailler :

« Pauvre Charlot de Stonard : c'est de la liqueur de citron vert. »

La Comète a fait frire tout le bacon et les œufs avec ce qu'il croyait être de l'huile d'olive trouvée dans une bouteille de la cuisine.

Le Westland de Namsterdam surgit au-dessus de la haute corniche qui surplombe l'endroit, fait le tour de la baie en soulevant de l'écume, puis atterrit quelque part sur le rivage.

Je mets vingt minutes à reconnaître la démarche de Fraternité qui s'amène sur la plage.

Je lui fais un signe de tête.

« Bon après-midi tout le monde. Bien content de te trouver là : je me disais que tu risquais d'avoir quitté notre île, cette petite Planète Interdite où on peut se jouer tous les jours *La Tempête* de Shakespeare. » Il fait un signe de tête vers l'arrière, le champ où l'hélicoptère s'est posé : l'hélice arrêtée, les longues pales inertes, des moutons qui s'approchent timidement. « Mon père est mourant : faut aller chercher du matériel spécialisé sur le Continent, je pourrais te dire un mot en privé ? » Il passe le bras autour des épaules de l'Argonaute et l'entraîne sur le rivage en direction du sud. En revenant il me lance : « Tu es parti sans dire au revoir.

— J'ai dû oublier. »

Il s'arrête, en attendant que je demande des nouvelles de la fille, du coup je m'abstiens. Il sait la force qu'il m'a fallu pour m'en aller si brusquement, une fois épuisé mon répertoire de comédien de l'absurde. Il sait que mon humanité est pour lui une défaite alors il a écumé les montagnes en hélicoptère, peut-être dans l'espoir de me retrouver à côté du cadavre pelé, décharné du kangourou.

« T'es pas au courant, si ? »

Je soupire.

Fraternité lance. « J'ai failli pas comprendre. Dieu sait qu'on a tous l'esprit ailleurs avec cette rave-partie du millénaire : Ze Super Teuf. Promotion, et les jeunes d'aujourd'hui qui claquent tout ; faut se tourner vers l'avenir, mon pote : téléphones portables et blousons avec Sécurité écrit dessus, tu la vois un peu cette vision de l'avenir ? Tout est entre les mains des jeunes. Tous nos espoirs ! » Il se marre. « Bon sang, mec, tu vois pas pourquoi elle est restée, la petite maman tigre, tout le temps avec son gilet ? Écoute voir, juste une réflexion à emmener avec toi pendant ton voyage sur le Continent, comme ça quand tu repenseras aux moments que tu as vécus ici tu pourras penser à moi, en train de jouer les joyeux pères de famille...

— De quoi tu causes, Fraternité ?

— Je vois d'ici notre nuit de noce », il soupire puis, sincèrement pensif, regarde en direction des casiers à homards. « Elle va rouler sur elle-même loin de moi, remonter les jambes, "t'as qu'à te payer ta petite éclate tout seul par-derrière", elle va m'annoncer, et ça sera ça notre nuit de noce. Et moi ensuite je pourrai hurler de rire en regardant le petit connard pédaler de long en large dans le couloir sur son tricycle ou je ne sais quoi et à mesure que les nuits d'hiver se rapprocheront de nouveau, moi j'attendrai après les Bons Vieux Plaisirs auxquels j'ai renoncé il y a si longtemps. Si l'hôtel est fermé ça sera pas une des Toutes Jeunes Mariées, plutôt une gamine de terminale de la pension j'imagine : peu importe, la bouche de l'une et de l'autre qui joueront à la roulette russe avec ma queue... »

J'écrase mon poing sur la mâchoire de Fraternité et c'est un plaisir d'entendre la fin de sa phrase tranchée net. Il tombe lourdement assis dans les galets puis une beigne, qui révèle qu'on commence à prendre parti, me rabat la tête de côté et je torche une traînée de morve noire sanguinolente du revers de la main.

Je suis cuté dans les galets moi aussi, face à Fraternité, avec l'Argonaute qui culmine au-dessus de moi.

Fraternité dit quelque chose puis crache, et ensuite reprend : « T'étais au courant de rien, je savais que t'étais pas costaud à ce point-là. Quand tu es parti, j'ai cru un moment que tu étais au courant, alors j'ai eu peur, mais t'es bien aussi bête que moi. Le jour où elle s'est pointée à l'hôtel elle était déjà enceinte. »

L'Argonaute l'aide à se relever, fait deux pas vers moi et me décoche un coup de pompe dans l'oreille. Je tombe sur le flanc.

« Je suis sûr que ça t'aidera à mieux dormir la nuit. Il fallait bien que je te dise au revoir. T'étais marrant, le meilleur que j'ai connu en fait, et de loin. Profite bien de la civilisation. » Ça croustille sous ses pieds à mesure qu'il s'éloigne sur le rivage puis il se retourne : « C'est quoi ton vrai nom ? » Je me contente de le foudroyer du regard alors il ajoute : « On aurait pu l'appeler comme toi ! » Il s'éloigne. Le moteur de l'hélico démarre en couinant et l'Argonaute lance : « Il m'a expliqué ton cas. Faux formulaires d'indemnisation. Je vais te la donner moi ton hélice. »

Devant son pavillon, avec les deux gamins muets qui regardent, l'Argonaute m'arrache ma chemise. Il me flanque l'hélice sur le dos de façon à ce que tout le poids repose en travers de mes épaules : une douleur pointue brûlante surgit aussi sec à la base de mon cou.

« À un peu plus de six kilomètres le long de la côte y a la Cale au Ferry, ils te détacheront ça là-bas. » L'Argonaute me regarde et se marre. « Y te manque ta couronne d'épines. » Il s'éloigne en direction des rochers et moi je me mets en route tant bien que mal. L'Argonaute me rattrape bien vite. Au creux du bras il porte une grande méduse translucide avec des filaments centraux écarlates, il me l'arrange cérémonieusement sur les cheveux de façon à ce que le tas de glaire froide me rafraîchisse le front.

« Tes insignes royaux, dommage c'en est pas une qui pique.

— En souvenir de tes ancêtres », je grimace un sourire forcé et je commence à marcher.

Pour avancer dans les bouleaux et les ajoncs plus loin en longeant le rivage je suis obligé de me tourner d'abord dans un sens puis dans l'autre et de passer de biais entre les troncs. Une fois sorti des Nouveaux Lotissements quand je me retrouve sur la côte déserte, je me tourne, et avec l'hélice sur le dos, je me débarrasse de la méduse en secouant la tête puis j'attaque l'ascension des montagnes pour retourner dans la direction de l'hôtel Drome.

Je suis presque au sommet de la corniche quand les casiers à homards explosent dans une lourde gerbe d'eau blanche, avec des morceaux de crabes qui dégringolent du ciel en crépitant sur les tuiles colorées du toit de chez l'Argonaute.

LA LETTRE

Adresse Secrète
Disons : Terre de Feu
(timbrer au tarif économique)

Mon cher Papounet (ce que j'en connais de plus approchant),

J'ai dégoté ce papier (tellement doux au toucher, on dirait le ventre tout lisse d'une gamine de vingt ans, hein ?) il y a quelque temps dans un hôtel sans retour, une île au bout du monde, même qu'il y a un couple qui s'est demandé en mariage en direct sur la radio nationale ! Je suis toujours pas mariée, pourtant ces derniers temps j'ai une bande de soupirants gratinée. Je t'écris pour t'annoncer que je me suis fait mettre en cloque et que tu es grand-père à défaut d'être un bien grand bonhomme. Mais peut-être que ton dernier souffle t'a déjà chuinté hors des trous de nez ? Ça me ferait ni chaud ni froid mais je me suis dit que j'allais tâcher de te coller les glandes une dernière fois avec le récit des événements qui aboutissent à la naissance de mon enfant et La Nativité à proprement parler.

Les trucs que j'ai vus ces dernières années ! J'ai bien écouté mon corps et fait ce qu'il me disait de faire —

la preuve ! — et sinon j'ai surtout lu des livres en buvant du café sucré dans tous les coins d'Europe.

Y a un type qui a traversé le Danube à la nage pour mes beaux yeux, Papa ! Tu es fier ? Alors que c'est plein de déchets véroleux d'ex-communistes. Je descendais juste d'un vol super tape-cul en provenance de Stockholm, ou peut-être bien Londres ? En tout cas, j'ai filé en taxi (le chauffeur a parlé tout seul pendant le trajet entier) jusqu'à un sous-sol où le type vivait dans une cage en se nourrissant d'eau minérale depuis quarante jours et autant de nuits : c'était quelque part dans le quartier roumain, le sept ou huitième arrondissement, puis des étincelles ont jailli à la lueur des bougies quand les scies ont découpé les barreaux pendant qu'un type jouait du didgeridoo. Le fond de l'air sentait le moisi et bruissait de murmures de journalistes — il y avait une équipe de CNN et des artistes conceptuels à gogo qui étudiaient les ombres.

Le type a fait un méga-discours à propos de son expérience dans une langue que j'en ai pas compris un mot. Il a mangé un quignon de pain et sifflé un dé à coudre d'un vin qui existe en neuf degrés de suavité !

Au coucher du soleil cet idiot était en train de nager le crawl dans l'eau crade — une largeur aller et presque tout le retour jusqu'à notre table de café en ferraille quand la Police Fluviale l'a chopé : dommage. J'ai plié son froc bien proprement sur le dossier de la chaise d'en face et j'ai laissé ce qu'il fallait pour régler la note. C'était pas le Jésus pour lequel j'avais traversé l'Europe : celui-là je l'ai trouvé plus tard, à l'hôtel, mais j'en dirai plus quand ça me chantera. Je me suis fait mon nid au New York Café : beaux, superbes serveurs mal embouchés en veste blanche (couché avec deux), pianiste, super gâteaux, tous hors de prix. J'ai demandé au vieux pianiste spécialiste de Strauss de jouer Where It's At de Beck, et voilà pas que ce putain de vieux me le sort ! On est devenus potes mais jamais amants quoiqu'une fois je me sois dépoilée pour lui. Bon sang, il devait bien avoir quatre-vingts piges et j'ai appris des choses. Ça me faisait marrer de rendre les deux jeunes serveurs jaloux de lui !

Mais attends, Papa, c'est pas tout ! J'ai discuté de post-modernisme ! Je mens pas. J'ai vraiment prononcé ce mot ridicule en tenant même mon casse-croûte avec deux doigts. Ça se passait dans une fac. (Pour en revenir au New York Café : les murs étaient imprégnés du vice, des tortures, des exécutions de l'ancien régime qui en était propriétaire avant, imprégnés de la même manière, brun-jaune, qu'ils l'étaient par la fumée de havane qui s'élevait paresseusement.)

J'ai *tellement* de trucs à te raconter — ça démange méchamment — et j'espère que chacun de mes mots te fera le même effet que les escarres qui fleuriront sur ton cul osseux quand tu mourras : à pas pouvoir fourrer les ongles assez profond pour gratter bien au fond de la chiée.

J'ai écrit que trois lettres en tout dans ma vie. Je crois que je m'en souviens mot pour mot : une à Orla, ma copine de Suède :

Sture Hof, mar.

Orla, j'en suis à mon sixième Bloody Mary, tu sais que leurs mélanges étaient toujours du tonnerre ici.

Écoute, des hommes y en a d'autres à part lui : et d'autres qui transpirent moins des aisselles, même s'ils sont pas lourd à être aussi craquants quand ils font la gueule. Je sais bien que tu trouves qu'il devrait renoncer à ses tableaux dorés à la feuille qui illuminent l'unique pièce au petit matin...

Flûte... mais tu avais deviné : la fois où j'ai marché pieds nus sur sa dernière toile intitulée *Psychedelicatessen* (tendue à plat par terre avec des piles de la version suédoise de mon roman pour tenir les coins) j'ai ramené des traînées or et argent dans la salle de bains.

... Je sais bien, tu crois que tu devrais vivre près de

ces lacs humides qu'il y a dans ton pays, avec lui qui ferait le mari au foyer bouffé par les moustiques pendant que toi tu rapportes le beurre et les épinards à la maison avec ta Saab bleue, pour ensuite dispenser lavements et pansements de cors avec la même générosité ; lui qui t'attendrait, en touillant le wok pendant que tu balances les clés de bagnole du bout des doigts mais *putain de merde,* louloute, depuis quand tu crois à tous ces trucs de bourges ? C'est pas *ça* la Orla du bon vieux temps.

Je pensais à tes jolis yeux et à ta façon d'utiliser le pinceau à Rimmel, vu que tu *sais* que chaque samedi soir tu te retrouves en train de pleurer à un moment ou un autre. J'ai perdu l'illusion qu'il pouvait encore rester en moi un lambeau d'innocence ou d'humilité... mais j'ai pris mon jeune cœur en main et je l'ai lissé à la perfection.

Je suggère vraiment que tu viennes cuter ton Anatomie et qu'on se retrouve ce soir au Sture Hof à huit heures pour descendre des Bloody Mary et rigoler. Oublie-le lui et ses Mathieu, ses Kandinsky et les autres qui ont l'air d'avoir souffert de méchants accès de migraine : c'est tout toi ça, d'aller prendre au sérieux la classe moyenne qu'on avait décidé de truander.

Tu sais quoi Orla, en fait ses ongles mouchetés d'or m'ont caressé le trou de balle toute la nuit dernière et une bonne partie de la matinée — Miam miam !

Je t'embrasse sur le seul de tes orifices que j'ai pas encore essayé.

P.-S. : Comme définition de la malveillance humaine on pourrait citer notre talent pour sortir les petits surnoms trognons qu'on se donne toi et moi (Goula-Gousse, Chmique-et-Chlorp, Tututte)... au creux de l'oreille du complet inconnu que je suis en train de me faire. Je les lui ai tous sortis un par un hier soir. C'est pas de la trahison, ça ?

Je paierai les tournées. Mmmmm et bisous.

Elle te plaît celle-là ? Je t'en retranscrirai une autre plus tard, quand j'aurai donné le sein au bébé. L'auto-lactation, c'est délire, Papa.

Je vais pas te dire où je suis planquée. Tu es bien trop gland pour me trouver ; d'ailleurs j'ai su que tu étais devenu agoraphobe et que tu pouvais plus dépasser la limite du village ! Morte de rire. L'endroit où je suis est plein de rochers. Tous les monuments du coin sont en pierre aussi. Il y a un gros rocher au sommet de la montagne sur l'autre versant. La légende du coin dit que si on arrive à l'encercler avec les bras en faisant toucher le bout des doigts on peut faire un vœu ! J'ai passé mes longs bras de singe autour... mais bon, visiblement le rayon vœux est sacrément restreint pour les femmes enceintes ! Bon sang c'est tout juste si je me voyais les doigts de pied à la fin mais j'ai tout reperdu après avoir pondu. Tous les jours je monte à vélo faire un vœu au rocher. À mesure que je maigris mes bagues cliquettent en se frottant l'une à l'autre.

Devenir une grosse vache ça permet de passer au travers de deux trois situations délicates. Je me suis tapé un tout ce qu'y a de merdique boulot sur cette île, service de chambre, aux cuisines et en salle. Le service de chambre ça s'est fini par l'emballage de tous les matelas dans du journal à la clôture de la saison pour protéger de l'humidité tout l'hiver ; les mots « taie d'oreiller » et « polochon » me hérissent à tout jamais les poils du nez. Comment ça peut être chiant on y croit pas : ça troue le cul ; mais c'était toujours mieux que l'autre solution : coucher avec John Fraternité, le visqueux proprio. Tu te rappelles comme Robinson Crusoé avait pris l'empreinte dans le sable pour celle de Satan ? Eh ben c'était plutôt celle de John ! J'ai posé mes conditions : « Paie-toi ta petite éclate si tu veux mais faudra que ça soit par-derrière ; mes fesses pointées et moi roulée en boule sur le flanc, et bon j'en doute, mais si des fois t'avais du répondant côté piston, faudra y aller super mollo sans quoi le bout va me cre-

191

ver tout ça et le fœtus va dégringoler dans un raz de marée et le Service Blanchisserie de l'hôtel va encore te bénir comme le plus grand dégueulasse de tout l'ouest D'AILLEURS à ce propos, c'est pas un préservatif que tu mettras mais *deux* Superstrong, l'un sur l'autre alors je crois pas que tu sentirais grand-chose même si t'étais en train de niquer le hachoir à viande des cuisines ; j'ai peut-être zoné côté contraception par le passé mais que ça soit un mec de droite qui me refile le virus alors là de la merde. »

Il s'est vite mis à tirer la tronche en entendant tout ça : le classique misogyne coincé ; au fond vous êtes toujours à trouiller sur l'hygiène vous autres, à trouiller sur le corps, vu que vous avez aucune idée de la manière de donner du plaisir ou de le savourer.

Je ferais mieux d'entamer quelques-unes des histoires qui ont abouti à la naissance de mon bébé.

Tu sais que Satan a tout ce qui se fait de mieux en musique ? eh ben l'Avocat du Diable s'est dégoté tous ses albums au grand complet. On pourrait commencer comme ça :

L'Avocat du Diable ouvre les paupières, le blanc des yeux luisant dans le noir au moment où il sort de sa tanière sachant que j'en ai fini avec mon accouchement ; ses grosses jambes écartées, il est allongé, à méditer le long du mélèze horizontal rabougri. La figure barbouillée de boue, il commence à descendre par les enclos et les cabanes... il traverse les groupes électrogènes trépidants, les câbles figés par terre comme des coulures d'huile, les caravanes de la fête garées sur le champ d'aviation. Des paons qui se baladent s'écartent vite fait pour le laisser passer, les rayons laser qui oscillent de droite et de gauche dans la nuit font un mouchetis sur les éventails de plumes déployées : celle du milieu toute blanche sous le clair de lune. L'Avocat du Diable claque la croupe des poneys qui tournent en rond, avec des gosses défoncés qui tiennent les rênes dans leurs doigts fins ; mais tout ça c'est plus tard au moment où les mecs de Lucky People Center commencent d'activer le bastringue dans le chapiteau. Moi je suis en haut de l'escalier dans Les Pièces Chauffées où le père Fraternité est mort. Je suis toujours étendue pétrifiée, obnubilée on pourrait dire, par le pèlerinage moderne de celui qui se faisait passer pour l'Aéro-Crash Expert : habitée par cette image de quand j'ai vu sa silhouette de Christ apparaître à l'horizon, les bras ouverts comme un genre d'Icare tout le temps qu'il dévalait la pente de la Cote 96, qu'il passait devant le mélèze rabougri, son futal déchiré là où il avait enjambé les barbelés, le visage tuméfié par les coups de ceux de là-bas aux Nouveaux Lotissements.

J'ai le don de remarquer les choses ; ces trucs sur lesquels y a de quoi faire une chanson et danser : comme par un jour de pluie où on a assez pour prendre le taxi on se demande pourquoi le mouillé sur le plancher de la bagnole est rien qu'à gauche, jusqu'au moment où on percute : c'est le côté du trottoir par où presque tout le monde monte.

Avant la rave-partie du millenaire, c'est moi la première qui remarque l'hélicoptère très loin avec le petit point noir suspendu en dessous genre comme sa propre ombre verticale dans le soleil, en train de cahoter au-dessus de la surface du Chenal. Ça se rapproche encore avant de devenir net : la stupéfaction de voir que c'est un grand lit qui pendouille au bout de la corde et qui tournoie lentement sous l'hélicoptère, au-dessus des pointes des sapins de la plantation qui s'écartent timidement à droite et à gauche dans le courant d'air descendant, comme un peu dégoûtés.

C'est le lit de sable pour le père mourant de Fraternité. Les traverses de soutien spéciales, assemblées à la masse, sont tellement près les unes des autres dans la chambre 7, en dessous des Pièces Chauffées de Fraternité, qu'il faut se tourner en biais pour passer d'un côté à l'autre de la chambre et se mettre un peu de papier

193

toilette moelleux dans la poche pour changer du truc de misère que Fraternité nous a fourgué dans les caravanes.

Pour le moment le père de Fraternité est étalé sur le lit de sable. Virus opportunistes, papa : génial. Avec celui qu'il a dans la moelle épinière le Châssis est devenu obligatoire à un moment donné. Le haut de sa colonne vertébrale se transformait en chiée : pour continuer à manger le porridge au lait que je lui monte — avec mon gros ventre qu'il a voulu toucher qui pointe — comme ça il peut se tenir droit pour manger, on lui a fixé le Châssis après : une potence en tiges métalliques agrafée à ses clavicules et maintenue par un cerclage autour du front, ses lèvres qui s'avancent lentement comme celles d'une tortue dans l'intervalle par où j'ai passé la cuillère, entre les barres — la potence empêche sa tête d'écrabouiller son cou dans un ultime haussement d'épaules. Son squelette est en train de sombrer dans l'océan de ses organes pendant que la mauvaise pisse pareille que du bouillon de bœuf gonfle la poche du cathéter ; puis ses larmes : pas de tristesse de connaître une fin pareille mais d'humiliation à cause du gros bouton qu'il a sur le nez — son corps ravagé a encore la force de produire *ça*. Syndrome Immuno-Déficitaire Acquis, P'pa : c'est de ça qu'il est mort le père de Fraternité. Chopé avec les nénettes françaises qui plongeaient des ailes de l'avion et qui nageaient, en dansant vers lui au sommet des vagues, l'eau de l'été qui scintillait sur leur front.

Mais ce qui m'a le plus occupé les idées c'est l'Odyssée, la traversée que l'homme a faite avec l'hélice. Quand il est apparu dans ce crépuscule de lanterne et qu'il est revenu trébucher jusque dans notre domaine je me suis détournée de la fenêtre et j'ai dégringolé l'escalier-spirale (une main sur la rampe) ; j'ai couru jusqu'au bout de l'allée, avec mes chaussures en toile qui s'enfoncent aux endroits marron boueux pleins de flaques. J'ai vu Fraternité surgir de vers le hangar à bateaux avec à la main la carabine qu'il venait d'utiliser pour le tir au pigeon. D'un coup l'idée m'est venue que Fraternité allait descendre le type avec les bras en croix tout vulnérable tout écartelé. Au moment où j'avance à sa rencontre, l'Aéro-Crash Expert sourit et tombe à genoux. Je tends la main et je touche le métal froid de l'hélice.

« C'est la bonne. Je suis revenu. Tu attends un enfant.

— C'est vrai ce mensonge », je fais puis je commence de dénouer la corde.

Fraternité se marre en hochant la tête, debout de l'autre côté des barbelés. À deux mains je pose un des bouts de l'hélice par terre.

« Fais ce que tu veux de lui », il lance Fraternité hilare.

Je l'emmène dans la pièce pleine de traverses ; ensuite à mesure que l'hiver avance il passe d'une pièce glaciale à l'autre à son gré, pour tâcher de trouver la plus chaude.

Dans mes réflexions je me suis imaginé des tonnes de trucs à propos de sa traversée solitaire... l'hélice ligotée en travers des épaules, sous les ciels changeants qui soufflaient des vents sombres... ces étoiles nettes vers la station de recherche délabrée... l'écho métallique qui résonne dans l'observatoire abandonné. Tout près il est passé, le menton collé contre la poitrine... une flamme, vive et chaude comme une étincelle de sirius dans le froid gelé : une brûlure à la base de sa longue colonne vertébrale ; il sait en permanence que s'il trébuche et tombe à plat ventre il risque de plus jamais se relever. Il fait trop noir pour continuer de marcher, alors il s'adosse, il s'incline pour faire reposer le poids de l'hélice d'Alpha Whisky sur le capot pentu du groupe électrogène de la cabine d'antenne télé : cloué sur place toute la nuit jusqu'à ce que le matin gris soit assez vibrant pour qu'il reparte dans les ors de l'aube, le regard encore brouillé par les animaux venus rôder tout près de lui dans l'obscurité et repartis.

Incapable de boire par peur de la capacité qu'a l'homme de se noyer dans quelques centimètres d'eau, il chante tout haut quand même à l'idée de l'enfant qui se développe semaine après semaine dans mon ventre jadis plat. Il chante ! Du coup les moutons tournent la tête vers lui et des troupeaux de cerfs invisibles, autrefois propriété des géants, détalent en direction du sommet derrière la corniche pendant que sa voix éraillée continue de chanter faux. Il piétine à grand bruit les jeunes bouleaux en beuglant Blue Ridge Mountains of Virginia, puis Lemon Tree qui enchaîne sur Yellow Bird, Yellow Submarine, Flower of Scotland, Corries' Glencoe, Nature Boy, Away in a Manger. L'écorce se décolle des arbres d'hiver, les taupes s'enfouissent plus profond pour hiberner avec davantage de conviction... les tapis de fougères mortes, cramoisis et cuivre mordoré, les tiges cassées foulées plus profond dans le sol, ont de la chance : leurs spores enterrées en prévision de l'année prochaine. Lui s'amène, progresse à travers les bois chantants, traverse les creux des pâturages sombres et descend les arrière-collines, juché haut sur le plateau connu sous le nom de « La Planète » ; au crépuscule revenu au-dessus de l'unique ampoule de la Coopérative Maritime sur la Cale au Ferry, assez près du zoo militaire pour entendre les cris effrayants qui en sortent, le babil enfantin de l'échappement du train miniature en contrebas, qui tourne et passe à grand fracas sur les aiguillages, avec l'aîné des fils Grainger qui agrippe la loco entre ses cuisses, qui crache dans la bouffée métallique de dioxyde de carbone : « La famille va se relever, les volières vont cramer : je serai le héros, qui relâche les paons que ce dégénéré de Cormoran veut louer pour son baluche du Nouvel An au Drome... Service National pour *toute la troupe* ; l'époque où les chemins de fer étaient en pleine gloire, toutes les locos rutilantes ; moi je vais sauver les paons,

les relâcher pour qu'ils aillent s'accoupler et se repro-
duire partout dans le parc... les plumes dressées, droites
comme les couleurs d'un régiment, ils vont se monter
encore et encore... » d'un clic il choisit la voie sur la
télécommande fixée au-dessus du transformateur, le
train s'engouffre dans le tunnel en papier mâché pour
l'amener, en bleu de chauffe, jusqu'à la table du dîner,
pile à l'heure...

Il grimpe le personnage du crépuscule, cette fois il
cale le poids de l'hélice sur les plus basses branches
d'un bouleau et reste suspendu là, jusqu'à ce que les
petits coups de bec d'un oiseau qui lui picore la tignasse
au premier grognement de l'aube le remettent en
marche : il dépend l'hélice et se laisse dévaler les sentiers à moutons, les pieds qui trottinent au bas des cor-
niches — l'antenne télé et la forêt de mâts désaffectés
qui se dressent vers la station de recherche, avec leurs
différentes hauteurs et leurs coupoles rouillées, sortes
de monuments vertigineux à la brochette d'investis-
seurs particuliers concernés par la station maudite —
bruissements et formes d'obscures antennes vivides
dans le ciel matinal.
Il continue, jusqu'au bout de la combe, les routes à
troupeaux noires inondées, du coup pour la première
fois, dans l'eau qui lui baigne les chevilles, il voit
l'image, l'image ancienne frappante qu'il offre au
monde, qui se reflète parmi les nuages dans le peu
d'eau claire de la crue. Plus loin il arrive à la falaise
ruisselante, l'eau qui dégoutte sur les touffes de mousse
alors la bouche grande ouverte il gobe les filets d'eau
et son torse nu se contracte et frissonne au contact des
éclaboussures glaciales, et c'est pourtant là qu'il
s'adosse au pied de la falaise, grelotte jusqu'à ce qu'il
s'endorme. Et rêve ses rêves-fleuves :
Une eau noire le happe au moment où il avance —
le poids sur ses épaules le bascule en avant puis vers le
fond, les jambes qui pédalent, il coule jusqu'au moment

où ses yeux grands ouverts arrivent au limon du fond, où il se noie — son corps gonfle au fil des jours, et bientôt ses sacs pleins d'air soulèvent doucement l'hélice et tout s'en va flotter au gré de la rivière, traverse l'intérieur et débouche en plein dans les volutes sableuses du delta, l'Expert gonflé comme une outre pique vers la baie avec l'hélice jusqu'au large où ils s'abîment en virevoltant parmi les lits de phosphore en flammes et les tôles convulsées d'Alpha Whisky, piquées de barnaches. Le cadavre boursouflé en suspens, qui tournoie lentement dans l'eau sableuse, soutient l'hélice jusqu'au moment où les pinces des homards, prises dans un tourbillon ascendant force dix et un instant empêtrées dans la nasse de ce corps, sectionnent l'énorme sac de gaz en putréfaction. Une fois lâchés une maousse bulle argentée et ses satellites qui s'envolent vers la surface, le cadavre vidé plonge jusqu'au fond où il devient tas d'os. Une bulle de méthane hisse le crâne vers la surface où une mouette en train de se dandiner sur la vague pioche d'un coup de bec ce qui reste de l'œil gélatineux, le méchant coup de picaille renvoie tourbillonner le crâne jusqu'au fond, où il échoue au milieu des bombes au phosphore en ébullition. Après s'être rempli de leur gaz, le crâne bondit de nouveau jusqu'à la surface pour s'y faire fendre en deux par la proue tranchante du *Psaume 23*.

Tout ça il le rêve, avant de reprendre son chemin dans la nuit jusqu'au bord de la rivière illuminé par les îlots de branches et brindilles en flammes, qui tournoient au fil de l'eau dans le fond de la combe. Sans faiblir l'allure, ces îlots voyageurs enflammés mènent la silhouette crucifiée dans les terres, puis aux bûchers en combustion sur les rochers saillants, côté littoral du campement des bûcherons avec ses caravanes...

Il est repéré par Joe-le-Mineur en train de rouler à toute blinde au fond de la combe, la réserve à charbon du couvent calée à l'arrière de l'élévateur hydraulique ;

les nonnes qui l'ont pris en chasse, occupées à gesticuler aux fenêtres de leur Morris Minor, ratent le tout dernier miracle.

L'Aéro-Crash Expert descend au travers du campement de l'Avocat du Diable. L'Avocat en personne, la cuillère à soupe figée sous sa barbiche toute neuve, suit des yeux l'Aéro-Crash Expert qui franchit son ruisseau d'un pas titubant, marque un virage pour piquer jusqu'à la première clôture barbelée et l'enjambe.

« Elle est enceinte, il crie.

— Je sais », l'Avocat répond d'un hochement de tête tranquille, trop bas pour que l'autre entende. Le barbelé grince quand l'Aéro-Crash Expert continue sa descente vers la fumée du feu de bois de l'hôtel Drome, le Salon d'Observation pile au centre de la croix que forme son corps. Tu me suis toujours, P'pa ? Tu devrais faire attention, tu pourrais peut-être bien apprendre quelque chose, étendre tes horizons, un mini-poil d'instruction : voilà encore une lettre.

Hôtel Drome, mardi

Cher Mr Grainger,

Vous me connaissez pas, et moi je vous connais que par le biais d'une connaissance de hasard et à cause de votre position sociale sur cette île. Ce qui compte c'est que j'ai pas d'argent, que je suis enceinte et à la merci de deux ou trois hommes particulièrement pervers. En avril dernier j'ai sorti votre fille, à qui vous devriez vraiment apprendre à nager, du Chenal après immersion par raz de courant d'une vedette, en face de la Cale au Ferry. Je l'ai renvoyée chez vous par votre Kongo Express.

A présent c'est du bien-être de mon propre enfant que je me préoccupe aussi je vous demande 5 000 £ pour m'aider à quitter cette île, ainsi que l'usage de votre vedette *La Ménade* actuellement employée à la construction du bassin bouillonnant à phoques de votre zoo.

Je suis prisonnière ici alors s'il vous plaît venez vite. N'apportez pas d'argent. C'est un nid de vipères.

Meilleurs sentiments.

La femme de service enceinte.

Pas de réponse à celle-là, Pa. Sympa les aristos. Le vieux Mr Fraternité se lamentait pareil avant de mourir, en citant O'Sullivan au jour de la défaite de Culloden contre les Anglais : « Ah, sire, tout fout le camp », et ce que Walker Percy appelle dans le Répertoire des Spectacles « l'engloutissement des terres du soir ».

Le père Fraternité il m'a dit comme ça : « Écoute voir, nénette, approche, que j'aie pas à crier. Révise un peu tes manières nom d'un chien. T'es enceinte, à quoi ça sert la mini-jupe ? La trique ça nous a bien assez mis dans le pétrin toi et moi. »

On s'est marrés, lui ses lèvres lui dénudaient les gencives comme un prépuce. Il m'a agrippé la main. « Tu es gentille avec moi. Je vais pas faire croire que pour moi c'est du gâteau. Le toubib vient tous les jours maintenant : la plupart du temps il fait que demander des nouvelles de ton ventre le salaud. Se contente d'attendre l'heure où il va vraiment pouvoir brancher ma Diamorphine. » Et voilà ce qu'il dit réellement, Papa : « Approche, cocotte. Maintenant écoute bien. Quand je serai parti faut que tu me promettes de faire un truc... » et moi je me penche tout près et il murmure ce qu'il veut que je fasse. En mourant il a bredouillé : « C'est tout comme Noël ! » On distinguait l'Avocat du Diable sur les pentes dégagées de la Cote 96, qui suivait l'enterrement de Fraternité Père aux jumelles.

Y avait juste moi, l'Aéro-Crash Expert, Chef Macbeth, Fraternité, le type de la mairie qui s'occupait de la pelleteuse fossoyeuse mécanique et le docteur qui arrêtait pas de lancer des petits coups d'œil vers mon ventre.

À quatre ils ont pris les cordes et descendu le cercueil au fond du trou. Un silence gêné a suivi où il aurait fallu que quelqu'un dise quelques mots. Fraternité a haussé les épaules, puis il a fait comme ça : « Y a belle lurette que je lui avais dit que c'était des pouffes. »

J'ai grimacé dans le vent froid.

Les mecs ont bu le whisky : du Linkwood. Dans les rafales de vent qui secouaient l'hôtel fermé on entendait les bruits de la fossoyeuse mécanique, en train de trépider dans le cimetière. Je remontais l'escalier-spirale après être allée aux toilettes. Fraternité descendait lui. Voilà ce que je lui ai dit, P'pa. J'ai posé la main sur son épaule. Il a souri. Le docteur a rigolé d'un truc que l'Aéro-Crash Expert venait de dire en haut.

« Ma mère adoptive est enterrée dans le cimetière. Quand elle est morte quelques parents gourmands se sont pointés à l'enterrement : mon père adoptif, à l'époque il en avait encore un peu dans le ventre, c'était encore un bon communiste...

— Hah », là le genou de Fraternité lui manque.

« Y avait plein de fric en liquide. Plein de bijoux. Certains qui me rappelaient des trucs. Ces bijoux je ferais n'importe quoi pour les récupérer. Et le liquide j'en ai besoin. Le type qui pourrait me récupérer ça je l'admirerais...

— C'est où ?

— Pour emmerder les membres de la famille, pour faire savoir qu'il aimait ma mère adoptive, pour montrer que le nerf de la guerre lui il était au-dessus de ça, mon père adoptif a pris les bijoux, les pleines poignées de fric, et il a tout fourré dans le cercueil avec le cadavre de la femme qu'il aimait avant que le gars des pompes funèbres vienne clouer le couvercle...

— Waouh, Fraternité écarquille les yeux.

— ... Tout ça c'est toujours là-bas.

— T'es incroyable. » Il me dévisage. « C'est quel nom sur la tombe ? »

Je lui ai dit. Il m'a regardée d'un regard que je lui avais encore jamais vu.

Il a remonté l'escalier en se retournant pour me regarder. Attends P'pa, te précipite pas là-bas avant d'avoir entendu la fin de l'histoire. J'imagine que ces pages doivent trembler maintenant. Écoute plutôt que je te raconte le jour de Noël.

Il pleut. Il reste encore quelques feuilles qui tombent en diagonale des arbres dénudés pour aller se coller sur les pierres tombales trempées et se plaquer après la chapelle à ciel ouvert, bien haute sur ses escaliers pour que le bétail puisse pas aller brouter à l'intérieur.

Fraternité entame la journée en criant : « Match de foot au No Man's Land. »

Il trouve pas de ballon de foot, du coup il faut faire avec un navet gelé arraché de la terre toute blanche dans le champ de Gibbon.

Les mecs gravissent la colline, en direction du campement de l'Avocat du Diable avec son lambeau de guirlande en cheveux d'ange accroché dans le mélèze rabougri tout proche... Chef Macbeth qui traîne dernier, DJ Cormoran qui pointe le bras vers le ciel, qui gesticule en tête avec son téléphone portable brandi en l'air tel le bâton de Moïse, d'où il sort des borborygmes, que personne écoute. Fraternité suit, en faisant sauter le navet dans ses mains pour tâcher de le dégeler ; même l'Aéro-Crash Expert s'est laissé convaincre de sortir du hangar à bateaux où il passe tout son temps avec le cadeau que je lui ai fait, à écouter l'Andante Con Moto une fois par jour (pour laisser les piles mourantes se recharger).

« Hors de ta tranchée, sale Boche », il a braillé Fraternité.

L'Avocat du Diable porte un long manteau énorme en peau de mouton : on voit du grésil et des glaçons agglutinés après le col quand il ouvre les bras pour saluer de l'autre côté des flammes de la grosse flambée

202

qu'il a allumée avec les mélèzes, abattus dans le noir, tous sauf le rabougri tout seul, qui est décoré.

Le match commence : Fraternité et l'Avocat du Diable contre DJ Cormoran, Chef Macbeth et l'Expert. Du Salon d'Observation, à travers le grésil, j'arrive à voir les nappes d'eau que leurs coups de pied font gicler de par terre. Le match est annulé quand l'Avocat du Diable fait une tête pour tâcher de sortir la balle et que ça lui éclate la calebasse. Ils jettent la nave dans les flammes et redescendent en ramassant du bois en chemin pour faire un feu.

Macbeth fait des pommes de terre au four, ils ouvrent une deuxième bouteille de Linkwood. On commence à jouer au vingt et un devant le feu dans le Salon d'Observation.

« Servi », Macbeth claque le plat de la main sur la table.

« C'est tout moi ça, quand je passe devant une supérette en ville je lis *lamentation* au lieu d'*alimentation* », qu'il dit l'Avocat du Diable avant d'abattre un roi de pique et un as de cœur. Il touche la bosse qu'il a sur le crâne.

« Ouh, enfoiré de tricheur », il couine Fraternité.

Je leur raconte les planchers de taxis. La façon que j'ai de remarquer les trucs inutiles dans les villes.

Quand on a fini de jouer au vingt-et-un l'Aéro-Crash Expert invite tout le monde dans la dernière pièce où il a amené la téloche et la vidéo avec la table roulante. Cormoran vient pas : il part au champ d'aviation superviser l'arrivée des premiers groupes électrogènes que Namsterdam apporte par hélico.

On entend l'engin qui soulève des nuages de vapeur de l'herbe humide pendant que nous on est installés dans la 12 et que les hommes font circuler le whisky. L'Aéro-Crash Expert lance la vidéo.

La scène commence sur le pont de *La Ménade,* avec Grainger en kilt et la petite borgne qui sourient à la caméra. Puis l'angle pivote pour montrer ce qu'on prend d'abord pour un long serpent noir qui suit le bateau dans son sillage, mais on s'aperçoit vite que c'est plusieurs phoques en train de faire des bonds au-dessus en dessous de l'écume, encadrés par deux dauphins. Ça coupe et ça reprend sur la jetée où on me voit, avec un super gros ventre, en train de sourire à Grainger et à la petite mioche. Je vois bouger sa mâchoire bien nette et je me rappelle ce qu'elle a dit : « C'est elle qui m'a sauvée mais elle est pas gentille. »

Puis ça passe à une vue de *La Ménade* au mouillage prise de la côte, avec têtes de phoques, dauphins et deux plongeurs qui dansent autour de la coque rouge et blanc. Les deux mâts de charge pivotent au-dessus de la mer et deux sacs genre hamacs descendent dans les vagues.

Le plan suivant montre un truc qui brouille la surface de la mer, puis je regarde la tête de l'Aéro-Crash Expert pendant que les contours droits, effilés de l'empennage du Cessna surgissent puis que, lentement, le fuselage entier d'Alpha Whisky émerge à la surface avec des giclées d'eau noirâtre qui sortent par les portes disjointes ensuite *La Ménade* fait cap sur la côte et apporte jusqu'à la jetée l'épave étalée de l'avion englouti maintenant remonté. Les plans suivants sont tournés à l'intérieur du hangar à bateaux. Une seule ampoule nue éclaire les carcasses des deux appareils : assemblées, tels deux dinosaures fossilisés, déployées sur les culs de bouteilles noir dense du sol. Un long ver doré sort en rampant de l'épave piquée de barnaches et l'Aéro-Crash Expert l'écrase d'un coup de talon sur les bouteilles de champagne retournées.

En finale on voit l'Aéro-Crash Expert qui prend la caméra et la tourne vers l'opérateur : c'est le fils Grainger en uniforme des Chemins de Fer britanniques. Il salue d'un air sérieux. La bande se termine dans un petit ronflement.

L'Aéro-Crash Expert éjecte la cassette et commence

à expliquer ce que moi j'ai déjà entendu un paquet de fois :

« Une fois cette saloperie d'hélice enlevée de sur mon dos j'ai pu l'examiner de près. Quand on regarde l'extrémité on voit un minuscule point d'impact avec des traces de peinture. Ces traces correspondent bien à Hotel Charlie mais ce qu'il y a de dingue, c'est qu'elles proviennent d'un endroit situé sous le fuselage à l'arrière.

— Et alors ? Fraternité hausse les épaules.

— Ça signifie que : bien qu'il ait décollé le *premier* il se trouvait *derrière* Hotel Charlie. Moi je voyais les choses à l'envers. Après avoir tous les deux décollé, on se demande comment — mais ça devait être facile de se tromper dans le noir — les pilotes se sont crus l'un et l'autre complètement ailleurs : Hotel Charlie pensait qu'Alpha Whisky était devant, et Alpha Whisky pensait que Hotel Charlie était derrière.

« Ils se sont doublés chacun leur tour. Alpha Whisky a dû sortir de son virage final en regardant derrière lui, monter et s'aligner pile dans l'angle mort de Hotel Charlie. Après s'être touchés ils ont sans doute surcompensé l'un et l'autre pour tâcher d'éviter la collision. Dans le noir ils risquaient tous les deux le décrochage ou la perte de contrôle. En tout cas les entailles qu'il y a sur l'hélice me révèlent toute l'histoire.

— Alors ton boulot est terminé. » Fraternité sourit.

« Il me reste à finir mon rapport », d'un signe de tête l'Expert désigne la machine à écrire Fisher-Price multicolore de l'ancienne garderie. Tout le monde se marre en voyant le manuscrit éparpillé, mal tapé au dos de vieux menus et de notes de jeunes couples.

Puisque c'est Noël je fais quelques tours avec des cigarettes, sans avaler la fumée, en lâchant du gaz de briquet dans des verres à bière avant de l'enflammer, que ça nous fasse un bel éclair bleuté dans la pièce. Je remplis même l'étui cellophane d'un paquet de clopes avec la fumée d'une Silk Cut !

Après Noël, on commence à voir des feux de camp brûler sur le champ d'aviation à mesure que le Premier de l'An approche. Macbeth attache des feux de Bengale à son avion télécommandé et le fait tourner de nuit, plonger et ressortir des flammes des feux de joie. Les types des tribus arrivent dans des tentes, des remorques, des caravanes... *le Charon* a été remis en usage, pour faire la navette depuis le Continent pendant que l'hélico de Namsterdam livre le gros matosse.

Moi je m'éloigne pas de l'hôtel, je perds pas de vue que la fin approche, je sais que c'est bientôt le moment mais ça me hérisse d'horreur de pas savoir quand : ce truc que j'ai dans le bide — la plus incroyable de toutes les tumeurs, que j'adore déjà — quand est-ce que ça va se pointer ? L'Avocat du Diable, toujours à tout regarder du haut de la colline, à attendre son heure pour redescendre parmi nous.

Fraternité a fait plusieurs fois le trajet jusqu'au cimetière sous prétexte d'aller mettre des fausses fleurs, chourées après l'arbre en plastoque de la salle à manger, sur la tombe de son père. Il s'est aussi mis à laisser traîner des pommes et des bananes que les petites filles des tribus qui campent près du hangar à bateaux piquent vite fait, avec leurs nattes rasta et leurs petits toutous.

La Super Teuf, la soirée dance délire du millénaire organisée par DJ Cormoran, doit commencer le soir du trente et durer jusqu'à l'arrivée du nouveau siècle le trente et un à minuit. Cormoran a fait venir tous les super DJ, avec les Lucky People Center pour assurer la chauffe dans la vieille tente qu'ils ont volée sur une des plates-formes prototypes qui font des forages à quelques kilomètres au large. La toile tout entière a été bombée à la peinture argent avec des versets bibliques — le bruit court que la fauche de l'immense bâche et le bombage sont l'œuvre du récupérateur d'épaves Scorgie Drumvargie, frère du médecin qu'il y a sur le Continent, et qui se fait souvent appeler l'Argonaute. C'est celui-là qui a démoli l'Aéro-Crash Expert et qui l'a presque tué en lui attachant l'hélice sur le dos.

Joe-le-Mineur a livré les paons avec son camion Bedford : il les a virés de là-dedans les plumes pourpres et la tête toute crépie de poussière de charbon. C'est aussi Joe qui me remet l'enveloppe avec

femme de service enceinte
Hôtel Drome

et une grosse empreinte de pouce noir charbon sur le dessous. À se tordre de rire, P'pa, même toi tu vas t'en rendre compte. Après que lui il a sorti l'avion englouti tout comme moi j'avais sorti sa fille moitié aveugle de la baille, les choses se sont mises à jouer sur la conscience du père Grainger : il en est arrivé à la conclusion que c'est l'Aéro-Crash Expert qui m'a foutue en cloque ! Dans sa lettre il nous propose d'aller bosser pour lui au zoo militaire et bassin à phoques comme « gardiens des animaux que vous préférez, peu importe lesquels, on en a quelques-uns qui viennent de la jungle mais le truc, c'est qu'on sait pas trop de *quels* animaux il s'agit ». On propose même à l'Aéro-Crash Expert le poste de chauffeur du train miniature ! On est vraiment morts de rire à s'imaginer ce petit tableau de famille tordu. L'argent est à ma disposition au château.

Fraternité se plaint du bruit toute la nuit à compter du trente au soir. Du coup moi je me dis, eh merde, et je lui pique son manteau en cachemire au guichet de la réception, je fourre un petit quelque chose dans les poches, puis je me mets en route direction la teuf. Tout le monde est en train de tourner dingo. Je vois un mec tellement décalqué que juste il reste immobile, à enlever son blouson fluo et à le remettre aussi sec : il commence à vraiment faire ça vite et sous les projos qu'y a ça fait un effet super.

Des feux de joie flambent entre les chapiteaux : des bouteilles d'eau minérale arrêtent pas de péter ou d'exploser quand on passe, et ça saute des flammes. Des paons se baladent par-ci par-là et les gens leur arrachent les plumes : on en voit de partout dans les cheveux des filles.

C'est presque l'aube quand je tombe sur eux, avec chacun un gros joint au bec, qui marchent tout zigzagants en se soutenant l'un l'autre sans nana avec eux.

« Les réparateurs télé ! je crie.

— Hé-là hé-là, c'est la nénette du canot de l'autre fois à Pâques, il fait comme ça le Rouquin.

— C'est pas vrai que vous êtes *de nouveau là* !

— Aaah, c'est qu'on pouvait pas rater ça », il sort le Grand.

Moi je fais : « Les téloches sont nases alors ?

— Depuis le jour d'après Noël.

— Baah, l'horreur, toutes ces pauvres mémés qu'auront pas de téloche pour le Premier de l'An.

— Nan, penses-tu, il fait le pas bavard. On va réparer ça, promis, et DJ Cormoran nous a trouvé un autre truc à faire.

— Ouais. À minuit t'auras qu'à regarder ces montagnes qu'y a là-haut. Dis donc, la vache, tu t'es pas ennuyée toi !

— C'est qui l'heureux *veinard* ? » Le Rouquin essaie de m'attraper alors je m'écarte mais quand même, je me sens virer au rouge brique.

« C'est pour quand ?

— La semaine dernière, par là.

— Ben alors avec ces basses qu'y a, si ça te le sort pas de là...

— Bon eh ben à plus, moi je fais comme ça.

— Ouais.

— Prenez pas la mer tout de suite.

— Ha, allez bonne chance à toi, nénette, et à tous ceux qu'ont couché avec toi. »

Je continue ; on dirait que déjà le crépuscule est en train de tomber. Je vois une zébrure mouchetée dans le ciel et plus loin vers les poneys qui tournent lentement en rond j'aperçois Macbeth qui scrute le ciel nocturne, son boîtier de contrôle à la main.

Au début j'y crois pas, ces gens en train de tourner en rond, puis je vois les fourchettes en plastique, les assiettes en papier qu'ils tiennent. L'énorme cheval de trait au beau milieu de tout ce monde.

« Charlie ? » je plisse les yeux comme ça. Puis je vois le forestier et quand je m'approche je suis encore plus ébahie.

« Hola-hola, petite demoiselle, les nuits raccourcissent sacrément surtout pour toi je suis sûr », il sort comme ça le frère, le premier à causer comme toujours.

« Salut vous deux », je souris, ça fait des lustres que je me suis pas sentie aussi bien.

« T'es partie sans nous dire au revoir... » il fait le plus dégarni.

« Ni au Papa. »

Je leur tends les deux mains et le Premier attrape avec un sourire. C'est là que je vois, à côté du gars forestier, un cercueil, attelé derrière le cheval, et dans le cercueil tout plein de spaghetti à la sauce rouge bien fumants que le gars est en train de servir aux fêtards en même temps qu'il empoche le fric.

« Ça gagne pas mal », le Premier sourit. « Après la mort de Papa, on a fait monter un deux mètres dix en pin teinté noyer par le menuisier des Endroits Éloignés.

— C'est le gars du déforestage qu'a eu l'idée.

On fait tous les genres : Lyons Club, Rotary...

— Mariages, fêtes ; on peut remplir avec ce qu'on veut.

— Après avoir traversé les montagnes avec le Père...

— Où vous l'avez enterré... en finale ? je demande.

— On a rencontré des meneurs de bétail qui nous ont remorqué le papa direct au large avec leur bête de tête, et mon frère accroché au cou de la bête. Le portable a pas arrêté de sonner tout du long jusqu'au moment où il a commencé de sombrer, ensuite mon frère a tranché les cordes et le courant a amené le père droit au tourbillon géant...

— Les marins nous ont dit qu'y a des trucs qui peuvent rester des années à tourbillonner là-dedans et ensuite être recrachés...

— Si ça se trouve on a pas fini de revoir le vieux... »

Le gars du déforestage m'appelle par mon prénom et s'amène à grands pas dans ma direction.

« J'ai un truc à toi », je fais comme ça au moment où il m'embrasse sur la joue. Je fouille dans ma poche, je sors le couteau et je lui tends.

« Oh mais non ! Garde-le-toi. Bon sang... » d'un signe de tête il montre mon bide. « Allez viens on ira se faire un tour à la fête dans un moment... au jeu de massacre, il fait comme ça.

— Ça marche, mais j'ai des trucs à faire.

— Moi aussi. Des pleins cercueils de spaghetti Vongole à écouler.

— Comment va ta femme ? je sors comme ça.

— Alors ça c'est une autre histoire. Viens dire bonjour à Charlie. »

Je m'approche et je flatte le chtarbouif du gros canasson. Il me regarde d'un seul œil noir.

Je me penche vers le gars du déforestage et je fais comme ça : « T'approche pas de l'hôtel : rejoins-moi au cimetière, à minuit. »

En bas sur la plage, de l'autre côté du chapiteau où le violoneux irlandais John Kelly est en train de se la donner à mort, je rencontre deux nénettes d'une tribu, carrément belles, l'air d'avoir dans les quatorze ans et qui veulent toucher mon ventre. Elles m'emmènent dans leur tente et me palpent un peu le nombril, en tirant sur des pipes à eau qui dégagent une super odeur.

« Boh, pourquoi pas, le petit mioche est bientôt là, je fais comme ça et je prends une méchante taffe.

— J'ai senti un coup de poing, elle sort celle qui a une boucle à la lèvre.

— De pied, je souris.

— Ça veut dire que c'est un mec ? » elle glousse l'autre.

Boucle-au-bec plaque son oreille contre mon ventre qui a l'air tout luisant à la lumière des bougies et elle dit : « Je lui ai parlé : c'est une fille. » Elle sourit puis elle fait comme ça : « Je me suis retrouvé des plans depuis deux jours.

— Y a des acides ? » je sors.

Quand elles les sortent moi j'en enfourne deux d'un coup et celle avec le tatouage dit comme ça : « Putain t'es sacrément barrée toi.

— Attends que de voir *ça* », je fais, et je sors le flingue à l'Avocat du Diable de ma poche.

Au bord de l'eau on entend encore pas mal fort. Les gens sont en train de danser au moment où je vois la giclée de vague, les deux cornes qui s'avancent dans l'eau noire, qui éclaboussent d'écume, le Haï-Phir-Éon agrippé aux cornes, qui passe la jambe par-dessus et saute dans l'eau jusqu'à mi-corps pour finir à pied jusqu'à la plage où il ramasse un croque-monsieur qui traîne là et le mange aussi sec. La nouvelle bête meneuse émerge peinarde sur la plage puis d'autre bétail commence à faire son apparition plus loin vers la jetée ; le bateau qui transporte les meneurs de bétail s'amène jusqu'au bord en pétaradant, le barbu saute dans le peu d'eau et tout de suite il tire un carreau d'arbalète en l'air. L'avion de Macbeth, avec un feu de Bengale tout crachotant qui traîne derrière, tombe dans les flots du Chenal passagèrement embrasés par des lits de phosphore en train de flamboyer au hasard.

Je suis du regard les phares qui traversent les eaux du Chenal ; la fille des meneurs de bétail en train de filmer l'arrivée de la jeep amphibie sur ce qu'un envoyé spécial mec appellera *la tête de plage* — la fille qui fonce d'un côté puis de l'autre, comme de bien entendu, qui a l'air de zigzaguer pour éviter des balles pendant que le véhicule amphibie grimpe sur les cailloux. C'est Superman qui conduit, il gueule : « Je l'ai acheté : l'engin idéal pour moi ce truc, on peut pas le couler ! »

Des ramasseurs de bulots commencent à se laisser tomber des côtés de la jeep, leurs lampes halogènes qui se baladent et qui zèbrent dans tous les sens quand ils se mettent à danser, sur place, certains dans l'eau jusqu'aux cuisses.

Je me penche. Des truites en train de sécher sont pendues dans le dos du rameur qui s'approche avec des grands coups d'aviron à la force de ses épaules de costaud. Le canot passe par-dessus le varech et retombe sur les cailloux. D'un coup je vois la corde derrière qui se détend pendant que le truc que le canot remorque continue de voguer dans le noir. Je scrute de l'autre côté de la jetée et je vois le Raiguiseur, bardé de poisson fumé, qui pose pied à terre sur le rivage puis j'entends la frappe sourde des fûts au moment où, dans la cage de lumière des feux de joie, la batterie surgit sur un radeau, les toms transparents tous remplis d'eau de mer avec un petit morceau de phosphore enflammé au fond — on dirait même qu'y a un pauvre poisson rouge dans les fûts pleins d'eau. L'Argonaute, torse nu, envoie un roulement final, puis quand le radeau bute dans la poupe du canot à rames il sort de derrière la batterie, lève les bras et se hale jusqu'à la plage à la force des bras.

Je fais demi-tour et je passe sans me presser au milieu des danseurs pour me rediriger vers l'hôtel. Fraternité m'a filé une clé de la porte principale. J'entre à l'intérieur, les basses de la Méga-Teuf assourdies. Je fais ce que j'ai à faire dans les cuisines, je m'agenouille et je sors une mini-prière.

L'Aéro-Crash Expert est pas dans sa chambre. Je crie : « Holà, Houlihan, Worner, Scénariste à la Manque, ça m'intéresse pas comment on t'appelle, juste qui tu *es*. Amène-toi. »

J'ai du mal à lire l'heure sur ma montre. En fermant

à clé la porte principale de l'hôtel je lève les yeux vers la Cote 96, je vois le feu de camp solitaire qui flambe. Mains tendues en avant je me dirige vers le cimetière.

Un feu de joie brûle au milieu des tombes et Fraternité est debout à côté en train de fumer un cigare pendant qu'un Macbeth à la mine épuisée creuse une tombe avec l'excavatrice municipale. « Qu'est-ce qu'ils peuvent bien fabriquer, bon sang ? » la voix du forestier souffle à côté de moi. Au moment où je vais pour lui répondre je crois bien que je perds les eaux... en tout cas j'ai un merdier pas possible qui se déclenche dans la tripe.

Le forestier tâche de m'aider à retourner jusqu'à l'hôtel qui flambe. « Tant pis, tant pis, va falloir que ça se fasse ici », je lâche pendant qu'il me pose sur le sol du terre-plein.

« Pas question, bordel, pas question », et il me traîne jusqu'au garage où il vire la porte d'un coup de latte carrément héroïque.

Ce qui se passe après, P'pa, c'est qu'on me soulève pour m'installer quelque part : dans l'arrière d'un coupé Volvo à portière hayon rempli de foin. Et le pire c'est qu'elle est immatriculée de l'année du M !

Les portes du garage sont ouvertes en grand. Dans mon demi-brouillard, vu que les acides que j'ai pris commencent à vraiment faire de l'effet maintenant, je vois qu'une famille New Age a l'air de s'être installée dans nos anciennes caravanes à personnel, ils en font sortir des gosses. Je suis sûre que c'est Quiet Life de Japan qu'on entend quelque part à la radio mais j'arrive pas à me rappeler les paroles.

De la fumée nous tourbillonne autour et ma parole y a un connard qui est en train de me quitter mon Levi's.

« Hé c'est comme pour tirer un coup sur la plage. Y a que besoin d'enlever une seule jambe du jean. » Je me marre puis je sens cette impression musculaire bizardosse et je pousse comme une bienheureuse.

Une nappe de fumée huileuse se déroule et cingle devant les portes du garage. Une énorme langue de feu bondit à l'assaut du ciel et quelques poutres s'effondrent dans le long couloir de l'aile neuve, les plafonniers clignotent comme des malades suivant les mouvements non humains détectés.

Une fenêtre explose puis les rideaux de la salle à manger jaillissent au-dehors et s'enflamment. Le feu court le long du toit en direction de la plantation de sapins et au travers de mes larmes je vois une rangée d'arbres s'embraser en partant du bas tel un mur de feu, des fenêtres exploser et des tuiles se distordre au-dessus des cuisines où j'ai branché les friteuses un peu plus tôt : plein pot, avec des torchons mouillés sur le dessus.

Bientôt, tout du long, le rempart que forme la plantation de sapins est en flammes, et au moment où ma fille vient au monde dans une gerbe de sang et que le forestier la dégage d'une torsion, le visage maculé d'un ancien prophète ou devin s'approche du mien, me laisse une traînée de sang glaireux sur un sein, le téton dressé dans le petit vent chargé de fumée pendant que la fournaise d'arbres s'effondre, certains en travers du champ d'aviation, d'autres qui s'abattent dans le cimetière, dégomment les anges éplorés, les croix mises en place pour protéger la tombe du père de Fraternité dont le rêve d'incendier l'hôtel est exaucé, et celle maintenant profanée de Carlton avec l'horreur momifiée à cheveux rouge vif qu'en a sortie Macbeth — la tombe que j'ai désignée au hasard à Fraternité comme celle de Maman — cette tombe qui contenait rien du tout, puis le feu recouvre la pierre tombale intacte de Maman.

Le forestier prend le couteau qu'il m'a prêté et tranche le cordon ombilical, puis me rend le couteau.

Et bien sûr, l'Avocat du Diable dans la montagne au-dessus a ouvert les paupières d'un coup et crié en se redressant hors de sa tanière, le blanc des yeux écarquillé, puis il est parti et arrivé pareil : dans un panache de flammes. Il court, aspiré par le cognement de basses au pied de cette montagne qu'un jour Carlton a gravie, et en bas dans les enclos et les granges en feu il arrive au garage.

Moi je suis allongée à l'arrière de la voiture, ma fille sous le menton. L'Argonaute est debout, les mains en l'air, il tremble. Je suis vaguement en train de braquer le gros revolver sur lui quand l'Avocat s'amène, foudroie l'Argonaute du regard et fait comme ça : « Qui a mis le feu à l'hôtel ? Fraternité ?

— C'est moi.

— Où est Fraternité ? il sort l'Avocat.

— Il était en train de faire un trou au milieu des tombes.

— Alors comme ça c'est là qu'il...

— Il est parti, il fait l'Aéro-Crash Expert qui entre juste. Il l'avait caché dans la tombe de Carlton, il a dû le mettre là y a dix ans. Sans doute à l'intérieur du thorax pourri. »

L'Argonaute lance : « Tout comme les gusses qui s'occupaient de résurrection dans le temps : ils ouvraient les tombes des marins et des visiteurs inconnus que la marée ramenait sur les plages, ils les mettaient à l'intérieur d'un baril de saumure bien fermé et ils les revendaient aux écoles de médecine de Glasgow.

— Toi, tu te la fermes, il gronde l'Avocat.

— Elle est folle, vieux, elle a déjà tiré une balle.

— Vous feriez mieux de me rendre ça. Je vous l'ai laissé bien assez longtemps. Vous avez rien à craindre tant qu'y a ce type-là. » L'Avocat me prend le flingue de la main.

Je sors comme ça : « Les trois Rois mages. »

Ils se marrent. L'Argonaute dit : « Moi c'est vrai, j'ai suivi la lumière du ciel d'orient : Namsterdam qui faisait un survol.

— Chais pas ce qui te fait gazouiller comme ça, en tout cas y a Fraternité qui s'est tiré dans ton canot à rames avec tous tes tam-tams attelés derrière.

— Quoi ! L'enfoiré. Bon ben moi j'ai rendu mon hommage au Messie, je me casse. » L'Argonaute se tire.

« Il dit que j'étais déjà morte, je fais comme ça. Noyée. Que je suis dans le royaume des morts, au purgatoire.

— Tu lui as tiré dessus », l'Aéro-Crash Expert sourit.

L'Avocat du Diable lance : « Avant que les forces de l'État arrivent, je propose vraiment qu'on s'en aille. Ma patience n'a pas porté ses fruits ; en attendant... » Il sort dans la nuit illuminée par l'incendie.

L'Aéro-Crash Expert s'agenouille à côté de moi dans la vieille bagnole. Il dit : « Toi et moi on aurait pas entendu les cloches sonner minuit ?

— Bonne Année », je fais comme ça, et ensuite : « Ça veut dire que t'existes vraiment hein ?

— Oui, à plein », il répond.

Moi je fais : « Ça, ça sort de *My Own Private Idaho*.

— Penses-tu, c'est Shakespeare.

— Ah ouais ? je fais.

— Et toi t'existes ? il demande.

— Ouais, je fais.

— Est-ce que toi et moi on va... se mettre... ensemble ?

— Ensemble, je fais. Nous ? »

Il sort : « Oui. Pour toujours, avec elle. »

Je repense à Fraternité. À ce qui lui est arrivé. Il était là à foncer zigzaguer dans tous les sens entre les groupes de jeunes. Il en arrivait toujours plus, qui regardaient bouche bée le gigantesque incendie de l'hôtel, qui se déversaient du discobus ; un tracteur avait amené une remorque à chevaux qui s'est ouverte et des jeunes nanas en sont sorties dans un fracas d'enfer.

L'ombre de Fraternité se projetait en noir sur le brasier de son hôtel en flammes. Nouée serré contre sa poitrine : la serviette dégueulasse avec dedans le bout de métal ou de plastique. Au moment où Fraternité se demande si même le fantôme est venu danser, la serviette tombe et le truc qu'il transporte lui saute des mains. Ça heurte le sol et on dirait que ça rebondit une fois, puis d'un coup ça devient rigide comme du métal, mais d'abord ça change de forme sous le choc. Fraternité oublie la serviette, se penche, ramasse le morceau, et dégringole le talus tant bien que mal, l'Avocat du Diable à ses trousses, mais voilà Fraternité grimpé dans le premier canot qu'il trouve, en train de s'éloigner à la rame. L'Avocat crie, s'assoit sur le rivage, et c'est seulement là qu'il remarque la corde qui se déroule du radeau-batterie, et le Raiguiseur inconscient affalé sur le tabouret.

L'Avocat lui est bien obligé de faire un choix. Poursuivre ou attendre un autre jour. Pendant que la batterie s'éloigne sur les eaux du Chenal, il repasse clopin-clopant au milieu des danseurs, en direction du Salon d'Observation ravagé où les poutres dégringolent.

Une fois le bout d'épave déposé avec soin au fond du canot et après avoir ramé jusqu'à la nappe noire des eaux du Chenal sondées par la balise des Oyster Skernes, Fraternité se retrouve à mi-chemin quand il se rend compte qu'il remorque quelque chose. Il largue la corde. Le lendemain après-midi, Raiguiseur est réveillé par un chalutier qui passe, loin au large, en plein océan.

Fraternité voit pas du tout le *Psaume 23* jusqu'au moment où il entend la proue tel un fourreau lisse — les basses du siècle neuf qui continuent de cogner ont couvert l'arrivée du bateau.

Il attrape le morceau puis les planches volent en éclats sous lui et il se retrouve à la baille. John Fraternité brasse les eaux à grands battements de pieds. Tel un orage loin en dessous de lui, le fond de la mer s'illumine de lueurs, révélant les profondeurs stomacales du Chenal. Fraternité contemple et frissonne de dégoût à la vue de la poupe du ferry, de son hôtel en flammes à huit cents mètres de là, puis il commence à nager : pas pour retourner vers l'île, non il continue dans l'autre direction en battant des jambes, vers les pentes inhabitées au pied de la chaîne de montagnes.

« Pour toujours ? » je demande.

L'Aéro-Crash Expert fait comme ça : « Bon ça sera ça l'affaire : moi je t'enlève les cheveux de devant la figure chaque fois que toi tu dégobilles.

— Ouais. Allez ça marche », moi je fais.

Voilà tu sais tout, P'pa : tout ce que tu as pas besoin de savoir à propos de la naissance de la superbe petite-fille que je ferai en sorte que tu voies jamais. Excuse le style elliptique : je tiens à ce que tu meures dans la plus grande confusion possible. T'avise pas d'avoir même rien qu'une pensée pour moi sur ton lit de mort.

Une fois arrivés les pompiers comprennent que c'est peine perdue, du coup ils vont danser dans le grand chapiteau où Lucky People Center est en train de faire suer le monde. Les blousons fluo des pompiers font un effet pas possible sous les projos.

Nous on pique dans l'autre sens, la fuite en Égypte. L'Avocat et le forestier m'installent avec ma fille dans le cercueil tiré par Charlie le cheval de trait — un peu barbouillée de sauce spaghetti mais de toute manière j'étais crépie de sang — et on démarre le traîneau, on remonte l'allée, ça cahote dans les nids-de-poule avant de continuer bien meilleur à mesure qu'on grimpe la pente de la Cote 96. Le père Charlie nous tire, l'Aéro-Crash Expert suit derrière en nous souriant à moi et la mini-crevette en dessous de notre montagne de couvertures. Pour la première fois depuis mon arrivée dans cette île j'ai sommeil mais voilà l'Aéro-Crashmane qui montre des trucs du doigt, le forestier qui braille et l'Avocat qui regarde en l'air. Là-haut à la station de recherche où autrefois l'Observatoire scrutait les cieux, les réparateurs télé ont installé des feux clignotants qui montent descendent et font des petits points lumineux de haut en bas, haut en bas le long des antennes immenses : les mâts qui s'allument chacun à un rythme différent, un fouillis d'éclairs, ça meurt et ça fleurit comme le sapin de Noël de Dieu, le ciel entier a l'air de faire des pompes. J'aperçois les étoiles embusquées derrière les pulsars des mâts et quand je tourne de nouveau la tête vers l'Aéro-Crash Expert, il a une gigantesque colonne de flamme et fumée derrière l'épaule. J'allume une Silk Cut, Extra Mild.

Salut.

Morvern Callar

Notes

* p. 16, 59, 99. *Chris Martin* : titre français de *Pincher Martin*, roman de William Golding, écrivain britannique auteur, entre autres ouvrages, de *Sa Majesté des Mouches*.

* p. 29. Culloden : localité d'Écosse située à l'est d'Inverness. En mai 1746, l'armée anglaise dirigée par le duc de Cumberland y écrasa les jacobites, partisans écossais du prétendant Charles Édouard Stuart.

* p. 33. *Piston of Achnacloich* : désignation tirée de la fantaisie de l'auteur.